CB047695

Clarissa

2005
CENTENÁRIO DE

Erico
Verissimo

Erico Verissimo

Clarissa

Ilustrações
Paulo von Poser

Prefácio
Rodrigo Petronio

8ª reimpressão

Companhia Das Letras

8 Prefácio — Um retrato de várias faces
12 Prefácio do autor

16 Clarissa

168 Crônica sobre Porto Alegre
172 Crônica biográfica

Prefácio

Um retrato de várias faces

Desde o título, *Clarissa* já nos remete ao gênero retrato, e à sua longa tradição na história da literatura e das artes visuais. No entanto, o que dá o diferencial a esta obra de Erico Verissimo, segunda publicada pelo autor, em 1933, é o ambiente em que esse retrato é pintado: uma pensão. Clarissa é uma jovem do interior que fixa residência na pensão de d. Eufrasina e seu marido, sr. Couto, chamados carinhosamente de "tio" e "tia". A gama de personagens que compartilha do seu dia a dia, por si só, daria um romance: o glutão Barata, contador inveterado de piadas e espírito pouco sutil; a mulher dele, Ondina, de ar absorto, invariavelmente querendo persuadi-lo a ir ao cinema para assistir aos filmes que ele tanto detesta; Amaro, homem obscuro e fechado, que passa os dias entre o trabalho no banco e o quarto, onde lê em silêncio seus poetas e toca piano sem trocar uma única palavra ou olhar com nenhum dos outros moradores; o gato Micefufe, que desliza macio entre as pernas e as cadeiras; o judeu Levinsky e suas indefectíveis discussões com o protestante Gamaliel; o major aposentado e o lendário e irreparável desemprego de Couto; a dissoluta Dudu, que traz novas histórias amorosas e notícias do mundo; o relapso Nestor, com seu sorriso irônico que não poupa ninguém; o garoto mutilado Tonico, que mora na casa pobre ao lado, e a casa rica em frente, sempre com algum movimento de felicidade. Em meio a tudo isso, o peixinho Pirulito, que observa, plácido, o desenrolar dos acontecimentos, enquanto os ecos do papagaio duplicam as palavras e a vida.

Não sendo exatamente o que se possa chamar de um *Bildungsroman*, um romance de formação, a obra contém uma série de elementos desse gênero literário. Porque o processo de amadurecimento da menina Clarissa encontra eco em todos os questionamentos pessoais a que ela é induzida por conta do meio em que vive, onde os personagens funcionam como espelhos de seus dilemas mais íntimos. Seja no que diz respeito à descoberta da sexualidade ou à dimensão política que se inscreve no cenário como um pano de fundo (estamos no período entre as duas guerras mundiais), seja na solidão de vivências que não podem ser compartilhadas ou no mistério do amor que se anuncia em alguns momentos, o pincel de Erico Verissimo vai sempre retocando os traços da fisionomia espiritual de Clarissa a partir do seu confronto com os rostos alheios, com tudo o que tenham de familiar, de estranho, de inquietante ou até mesmo de grotesco. São todos espelhos de uma única face: Clarissa. Mas essa face só se completa e se descobre quando em constante contraste com os gestos dos outros. Clarissa tateia o mundo — e só se faz Clarissa na medida mesma em que se vê refletida nele.

Esse movimento da descoberta de si é muito interessante. E podemos dizer que traz em si um caráter edificante e um valor moral. Pensamos em todas as coisas existentes como se as víssemos pela primeira vez, o que muda totalmente nosso olhar para elas. Mais que isso: muda o seu valor. Por isso Clarissa se surpreende com a declaração e o presente de Amaro, já que nunca pôde imaginar o que havia de fato por trás da melancolia daquele homem, que vivia de se ocultar em seus próprios pensamentos. Também é com surpresa que descobre algumas armadilhas do amor e do sexo, algumas injustiças que o mundo apresenta de maneira quase inexplicável e outras tantas criadas pelas mãos dos homens. E é com surpresa, ainda, que Clarissa vê que, entre um dia e outro passados no regaço da pensão, ela mesma cresceu e o mundo aos poucos toma cursos inesperados; mais cedo ou mais tarde temos que abdicar de algumas coisas em proveito de outras, deixar as pessoas amadas para só então termos noção do quanto as amamos. Parafraseando Nietzsche, somente depois que deixamos a cidade podemos saber a altura real de suas torres. No centro de todos esses dilemas está uma única palavra: *surpresa*. Ela é o dom de quem vê o mundo diariamente sendo inaugurado. O tempo de certa forma retira das coisas a virgindade e a inocência. Assim, Clarissa pode ser vista como o repositório de inocência perdida de todos os habitantes da pensão e dos pedestres anódinos que vemos nas ruas. Entre eles, nós mesmos.

Esse aspecto da personagem, seu estado de contínua descoberta, a torna próxima de outra personagem feminina famosa, a Virgínia do romance *O lustre*, de Clarice Lispector. Ambas nutrem o gosto pela divagação e pelo sonho, sabem que é no ato de se perder de si e de se projetar nas coisas e pessoas ao redor que podemos conhecer aquela essência do mundo que se encontra encoberta em sua opacidade. Mais uma vez a paleta de cores e palavras de Erico Verissimo busca apreender os movimentos subjetivos da adolescente, ao compor, em forma de retrato, o itinerário de sua consciência rumo a essas revelações necessárias, embora na maioria das vezes bastante duras. Assim, *Clarissa* se filia a um gênero narrativo híbrido, misto de retrato e romance de formação. Mais especificamente, pertence à longa tradição do retrato fisionômico, que, surgido na Itália do Quattrocento, funda uma nova modalidade de representação de pessoas. Em linhas gerais, podemos dizer que o retrato fisionômico advém do retrato tipológico, que foi cultivado por séculos e séculos a fio e consiste numa referência indireta e alegórica ao retratado: todos os reis, mulheres, sacerdotes e nobres eram submetidos aos modelos ideais do Rei, da Mulher, do Sacerdote e do Nobre que a arte da pintura prescrevia tendo em vista a prática dos melhores pintores e os usos correntes.

Não há nenhum arquétipo ou ideal de mulher na figura feminina que o leitor descobre ao correr destas páginas. E nem é essa a questão que seu autor nos coloca, mas outra, bastante diversa. A exemplo dos antigos gregos e latinos, e para tentar chegar ao cerne da obra, poderíamos fazer aqui uma analogia entre poesia e pintura. Segundo uma máxima de Simônides de Ceos, citada por Plutarco, a pintura seria uma poesia muda e a poesia, uma pintura falante. O que nos fala a tela de Clarissa pintada por Erico Verissimo? Que o conhecimento de si só se dá em confronto com o mundo e ele é quem molda até aqueles nossos valores mais irredutíveis. Somos todos forjados conforme aqueles retratos feitos em câmara obscura, que se completam unicamente com a captação da luz exterior. Os defeitos e as virtudes dos habitantes da pensão de d. Zina são espelhos em que a face de Clarissa se projeta e só assim se forma e transforma. Esse itinerário de amadurecimento termina apenas com a última pincelada do autor — para depois continuar ressoando indefinidamente nos eventuais leitores. O estilo de Verissimo às vezes redunda num abuso de cores e tons pastosos, e em certa adjetivação e romantismo excessivos, aspectos que ele irá resolver em seus livros posteriores. Mas isso não o impede de levar a cabo seu projeto literário nem obsta a que a personagem atinja aquela zona tênue da consciência onde todos os espelhos são só um primeiro passo rumo ao conhecimento do outro e à tão almejada alteridade. Afinal, todo retrato é um mergulho no universo do retratado e em tudo aquilo que o circunda. Conseguir isso é um grande passo. Em último caso, o ponto de partida e a única razão de ser de todo o conhecimento e de toda a arte não é nada mais do que a alteridade.

Rodrigo Petronio

Professor de literatura espanhola e hispano-americana no Centro Universitário de Santo André (UniA) e professor coordenador, com Dora Ferreira da Silva, do Centro de Estudos Cavalo Azul. É autor de História natural *(poesia, 2000) e* Transversal do tempo *(ensaios, 2002)*

Prefácio do autor

Sob os jacarandás floridos da velha praça da Matriz de Porto Alegre, caminhava uma rapariguita metida no seu uniforme de normalista. Teria quando muito treze anos, seu andar era uma dança, seu rosto uma fruta madura e seus olhos, que imaginei escuros, deviam estar sorvendo com avidez a graça luminosa e também adolescente daquela manhã de primavera. De minha janela eu a contemplava com a sensação de estar ouvindo uma sonata matinal e ao mesmo tempo vendo uma pintura animada.

Eis um momento de beleza — refleti —, uma rapariga que passa sob os jacarandás a pisar as flores roxas que juncam o chão. O céu é uma taça de porcelana azul. O vento cheira docemente a campo e flor. A luz da manhã se espreguiça sobre os telhados...

Desejei saber compor música para traduzir em melodia aquele momento poético; ou então pintar, para prender numa tela as imagens daquele minuto milagroso.

Tinha eu naquela manhã de setembro exatamente vinte e sete anos, e não sei por que absurda razão a proximidade da casa dos trinta me levava a olhar nostalgicamente para a normalista, já com os olhos de quem sente saudade dum tempo perdido e irrecuperável.

Foi então que me veio a sugestão de escrever a história duma menina que amanhece para a vida, pois talvez dessa forma eu pudesse prolongar o sortilégio daquele momento.

Fiquei com a ideia na cabeça, levei-a para a cama, onde ela se misturou com as imagens dos sonhos daquela noite. E, nos dias que se seguiram, tive na mente, quase como uma ideia fixa, a figura duma adolescente que aos poucos ia tomando corpo, feições, alma — tudo isso com tal intensidade e mistério, que ao cabo de algum tempo a criatura de minha imaginação muito pouco tinha a ver com a da vida real, que a inspirara.

Concluí que a história dessa menina-moça talvez me pudesse oferecer a oportunidade, que eu então procurava, de me aproximar da vida, fugindo aos fantoches e ao seu universo convencional de papel pintado.

A primeira coisa que fiz foi batizar a suave heroína. Como o clima da novela se anunciasse claro e matinal, o nome que logo me ocorreu foi o de Clara, que rejeitei. Veio-me depois o de Clarice, também repelido, e finalmente o de Clarissa, que ficou.

Comecei a escrever sem plano preestabelecido. O clima em que eu vivia naquela época estava longe de ser luminoso e lírico. Meu ordenado era baixo, o homem das prestações batia todos os meses à nossa porta e, por mais que me esforçasse, eu não conseguia esquecer essas dificuldades materiais da vida cotidiana, as quais me preocupavam de tal modo, que não pude evitar que elas atormentassem também muitas das personagens dos romances que eu viria a escrever.

Além de minhas funções de secretário da *Revista do Globo*, para aumentar a renda mensal eu redigia uma página feminina para o *Correio do Povo* e à noite traduzia do inglês novelas policiais para a Livraria do Globo, de sorte que para minha própria literatura só me restavam — e assim mesmo nem sempre — os fins de semana.

Escrevi *Clarissa* em quinze tardes de sábado e uma boa dúzia de domingos, feriados e dias-santos. O livro apareceu em novembro de 1933 numa coleção de volumes de pequeno formato na qual havia, numa estranha mistura, obras de Gogol e Edgar Wallace, Pushkin e Fenimore Cooper.

Clarissa marca uma nova fase na minha carreira literária. Escrevi essa novela impelido por uma necessidade de poesia. Em matéria de linguagem notam-se nela muitos dos defeitos do primeiro livro: o estilo picado, o emprego leviano de palavras grandes como *infinito*, *imenso*, *enorme*, etc.

As personagens, conquanto já se pareçam mais com as criaturas de carne e osso que nos cercam no mundo real, não perderam de todo o cheiro de tinta e o caráter linear dos títeres que povoam os meus primeiros contos.

Clarissa, porém, se destaca dessa comparsaria com uma vida mais quente e polpuda. Acredito que ela tenha a dimensão que falta às outras personagens. Considero o retrato dessa adolescente dos melhores de toda a minha galeria de ficcionista. Não terá, certo, o acabamento dum *portrait* à maneira de Ingres; é possível que lembre a técnica ou a ausência de técnica dum primitivo — mas a verdade é que a criatura lá está com as cores e o relevo da vida.

Como conjunto, talvez o principal defeito dessa novela seja o seu excesso, não de beleza — o que não seria para lamentar — mas de "boniteza", de *joliesse*, de *prettiness*. O autor como que se esmerou em focar instantes pictóricos e poéticos, numa sucessão de haicais e aquarelas.

Lembro-me de que escrevi com sincera emoção a cena em que Clarissa brinca no jardim da pensão com as crianças da casa vizinha. Foi, entretanto, com impaciência e um certo constrangimento que reli há pouco esse trecho.

Amaro me parece uma personagem demasiadamente esquemática e, como tal, incompleta. Falta-lhe a dimensão da profundidade, a única capaz de dar credibilidade, existência a uma figura de ficção. Talvez esse tímido bancário não passe duma projeção da melancolia do autor ante a perspectiva de envelhecer. (Ao tempo em que escrevi *Clarissa*, eu considerava velho um homem de quarenta anos. É evidente que de lá para cá mudei de opinião.)

As outras personagens da história foram tratadas um tanto convencionalmente, segundo a tradição do mau teatro. De resto, que outra coisa eram elas aos olhos do romancista deslumbrado pela sua personagem central, senão vagos desenhos dum pano de fundo contra o qual Clarissa dançava o balé dos quatorze anos?

Que leituras teriam influído no autor dessa história suburbana? Lembro-me de que, em princípios de 1933, li com delícia o *Dusty Answer* de Rosamond Lehmann, o qual deixou em mim certas ressonâncias poéticas responsáveis pelo estado de espírito que me levou a escrever *Clarissa*. E, se cavoucarmos mais fundo nos alicerces desta novela, talvez encontremos, na sua base, doces lembranças da Clara d'Ellébeuse, de Francis Jammes.

Imprimiram-se inicialmente sete mil volumes de *Clarissa*, pois era necessária uma tiragem alta a fim de que cada exemplar pudesse ser vendido a preço baixo. Ao cabo de quatro anos, existia ainda nos depósitos da casa editora um saldo de dois mil e quinhentos volumes, os quais foram vendidos numa liquidação pela metade do preço original.

O sucesso de *Olhai os lírios do campo*, em 1938, teve a virtude de chamar a atenção dum público mais largo sobre meus romances anteriores, de sorte que *Clarissa* foi reeditado em volume de formato maior e a um preço cinco vezes mais alto que o da edição inicial, o que não impediu que tiragens de três mil exemplares passassem a esgotar-se em menos de um ano.

A carreira da novela ainda continua. Se levarmos em conta que em 1933 Clarissa tinha quatorze anos, não posso deixar de pensar que, no momento em que escrevo este prefácio, ela já atingiu a casa balzaquiana. Naturalmente perdeu a inocência e a frescura e já não olha mais o mundo e a vida com aqueles olhos cheios de ansiedade, surpresa e encantado susto.

Mas que importa, se a temos aqui neste volume tal como era naquela remota manhã de setembro em que corria atrás de borboletas amarelas no pátio da pensão de tia Zina?

Erico Verissimo
1961

Clarissa

I

Só agora Amaro acredita que a primavera chegou: de sua janela vê Clarissa a brincar sob os pessegueiros floridos. As glicínias roxas espiam por cima do muro que separa o pátio da pensão do pátio da casa vizinha. O menino doente está na sua cadeira de rodas; o sol lhe ilumina o rosto pálido, atirando-lhe sobre os cabelos um polvilho de ouro. Um avião cruza o céu, roncando — asas coruscantes contra o azul nítido.

Amaro sente no rosto a carícia leve do vento. Infla as narinas e sorve o ar luminoso da manhã.

Não há dúvida: a primavera chegou. Os pessegueiros estão floridos, as glicínias se debruçam sobre o muro, o menino doente já mostra no rosto magro a sombra dum sorriso.

Lindo! — exclama Amaro interiormente.

E se tentasse exprimir em música o momento milagroso? Quem sabe? Clarissa ainda corre sob as árvores. Grita, sacode a cabeleira negra, agita os braços, para, olha, ri, torna a correr, perseguindo agora uma borboleta amarela.

Longe, lampeja um pedaço do rio. Mais longe ainda, a sombra azulada dos morros. E, por cima de tudo, a porcelana pura do céu.

Amaro caminha para o piano. Seus dedos magros batem de leve nas teclas. Duas notas tímidas e desamparadas: mi, sol... Mas a mão tomba desanimada. O olhar morto passeia em torno, vê as imagens familiares: a cama desfeita, os livros da noite, empilhados sobre o mármore da mesinha de cabeceira, a escrivaninha com papéis em desordem; nas paredes brancas, a máscara mortuária de Beethoven e o espelho oval por cima da pia, o espelho que rebrilha, refletindo na superfície lisa o semblante dum homem triste...

Amaro torna à janela. Clarissa mergulha na sombra do arvoredo, toda cheia de crivos de sol. Ergue os braços, põe-se na ponta dos pés, entesa o busto, pondo em relevo mais forte os seios que mal apontam. Segura com ambas as mãos o galho de um pessegueiro, dobra os joelhos e deixa o corpo cair num abandono gracioso. Os ramos se agitam, as flores se desprendem e tombam como uma chuva de pequenas borboletas rosadas. Olhos cerrados, cabeça inclinada para trás, Clarissa solta uma risada.

Amaro franze a testa. Este momento é de beleza, mas vai fugir...

Muitos instantes luminosos como este já lhe passaram diante dos olhos. Quantas vezes ele estendera os braços, na vã tentativa de prender um raio de sol...

De dentro da casa sai uma voz:

— Clarissa!

Clarissa perfila-se, conserta o vestido e responde:

— Que é, titia?

— Vem pra dentro, menina. Está na hora do colégio.

O rosto da criaturinha ensombrece. O colégio... Livros, mapas, *Ouviram do Ipiranga as margens plácidas...* classes, cabeças curvadas sobre cadernos, cochichos, murmúrios e uma vontade doida de sair para o sol, de correr, ver a rua, as pessoas, as casas, o céu, os bondes, os automóveis...

No quintal vizinho o menino doente começa a choramingar:

— Tatá! Ó Tatá!

Tem uma voz sumida e trêmula. Agita os braços num esforço para mover a sua cadeira.

D. Eufrasina bota a cabeça para fora da janela.

— Não ouviste, Clarissa? Está na hora do colégio!

Clarissa entra. No alpendre, o papagaio verde sacode a plumagem e grita:

— Clariiissa!

Ela pensa:

Se eu fosse o Mandarim, não precisava ir pro colégio...

— Bom dia, minha menina!

— Bom dia!

O velho Nico Pombo, major reformado, o hóspede mais antigo da pensão. Não tem o que fazer durante o dia, mas costuma madrugar para o chimarrão.

No quarto do judeu já há rumores. Uma voz grossa vem do banheiro:

Deixa esta mulher chorar,
Pra pagar o que me fez...

O Nestor. Sempre cantando, sempre alegre. Clarissa gosta das pessoas alegres. Nem todos na pensão têm cara alegre. O mais triste é Amaro: tem um ar de sofredor, olhos que sempre estão olhando para parte nenhuma. E, depois, aquela mania de viver em cima do piano, batendo à toa nas teclas, inventando músicas que ninguém compreende... Enfim, como toda a gente diz que ele é um homem muito inteligente, é melhor não discutir...

Sorrindo, Clarissa entra no quarto.

Amaro continua à janela. Sente que na paisagem agora falta alguma coisa.

Já recolheram o menino doente. Começam os ruídos matinais da pensão. A mulher do Procópio Barata cantarola com sua voz de caturrita uma valsa que fala em *santuário do meu amor, ó flor!*.

O judeu Levinsky assoma à janela de seu quarto.

— Bom dia, seu Amaro, como está o senhor?

— Bem, obrigado. E o senhor?

Levinsky passou a noite em claro, estudando um ponto de direito internacional privado.

— O senhor conhece direito internacional privado?

Amaro sacode a cabeça negativamente. Não conhece. Nunca leu nada... Levinsky espicha o pescoço. Faz uma dissertação sobre a matéria, enquanto a sua mão sardenta corta o ar em gestos largos.

Os olhos de Amaro estão voltados para o interlocutor. Sua atenção, porém, se concentra toda num trecho da *Nona sinfonia* que a Orquestra Sinfônica de Amsterdã toca em sua mente. O coro rompe num hino triunfal. A cabeleira ruiva do judeu palpita ao vento como uma chama. A batuta do maestro sobe e desce em gestos rítmicos. A mão de Levinsky risca no espaço desenhos desordenados.

— Não acha que eles estão com a razão? — pergunta o estudante.

Amaro desperta.

— Acho que sim... O senhor tem razão.

— Eu? Não! Refiro-me a *eles*, os tratadistas...

— Sim, eles... É verdade: toda a razão. Aliás...

Cala-se, de repente.

Soam passos na escada. Outra vez a voz de Nestor:

Pra pagar o que me fez!

No refeitório, o major Pombo solta uma risada sonora. O papagaio grita:

— Café! Café! Café!

Amaro senta-se ao piano e reproduz a música do papagaio.

Na varanda, o relógio de pêndulo bate sete horas. Amaro veste o casaco e prepara-se para descer.

Um dia há de escrever a rapsódia da pensão de dona Eufrasina: uma música colorida e viva em que aparecerão os gritos do papagaio, as cantigas do Nestor e de dona Ondina, as risadas do major, as anedotas do Barata, a voz dolorosa do menino doente — a adolescência luminosa de Clarissa.

Um dia...

Descendo a escada que dá para o refeitório, Amaro leva no pensamento uma suave aquarela: Clarissa sob a chuva de flores na manhã de sol...

2

Nas xícaras de louça branca o café fumega.

— Quero mais café! — reclama Clarissa.

Belmira se volta impaciente.

— Credo! Que comilona...

Clarissa tem os olhos fitos no prato, onde se empilham as fatias morenas de pão de centeio. No açucareiro bojudo branqueja o açúcar refinado. (Quando olha o açucareiro, Clarissa lembra-se do Barata...) Mel no pote de vidro azulado.

— Mais café, já disse!

Gosta de deixar o leite bem tostado como a pele da mulata Belmira.

— Clarissa, você inda vai ficar mais gorda que a sia Rola do português do armazém...

— Você? Ora, dobre a língua, sua malcriada...

Belmira derrama mais café na xícara de Clarissa e ri, mostrando os dentes claros.

— Pirralha... Mal saiu dos cueiros e já pensa que é gente.

Clarissa pega a faca, mergulha a ponta no pote e começa a besuntar de mel uma fatia de pão.

Jorra o sol pelas janelas. O vento fresco da manhã balança os estores pardos, despetala as rosas dos vasos, agita as toalhas das mesas.

Com a boca cheia de pão, Clarissa passeia o olhar em torno. Tudo isto lhe é familiar: as mesinhas pequenas com as toalhas de xadrez encarnado; nos quatro cantos, as colunas com os vasos de flores; no chão, o linóleo de losangos tricolores; na parede, a ceia de Cristo que custou vinte mil-réis numa vidraçaria da rua da Praia, e estas pinturas horríveis e berrantes, com desenhos monstruosos: uma galinha que parece uma girafa, garrafas de vinho que lembram homens barrigudos e um pobre peixe com cara de gente. Tudo visto, revisto e conhecido nos mínimos detalhes.

A escada range. É Amaro que desce.

— Bom dia — murmura ele.

— Bom dia! — responde Clarissa.

Esquisito esse bom-dia seco e geral. Nem ao menos um cumprimento especial para ela. Igualada com a mulata Belmira. Desaforo. Sim, porque no fim de contas ela já está ficando moça e merece mais atenção. Seu Amaro é sempre o mesmo homem calado, carrancudo, que não sorri, que não brinca com a gente, que nem ao menos faz gestos... É parado, parado, quieto, como aquele peixe pintado ali na parede. Pode cair a casa que a criatura não diz água.

Amaro vai para um canto da varanda e espera em silêncio o seu café.

Na porta que dá para a cozinha aparece d. Eufrasina.

— Vamos, menina, ligeiro com esse café — grita ela. — O tempo não espera ninguém.

Gotinhas de suor lhe rorejam o buço cerrado. Tem as faces avermelhadas, pois esteve lidando no fogão. Por um instante fica parada, esfregando no rosto a ponta do avental e olhando para a sobrinha com olho crítico.

Belmira, cantarolando, serve café para Amaro:

— Prefere mais branco ou mais preto?

Só agora é que d. Eufrasina dá pela presença do hóspede.

— Ora! Me desculpe, seu Amaro, eu estava tão distraída que nem vi o senhor. Bom dia!

Clarissa pensa:

Bem feito! Tão sombra, tão quieto que ninguém enxerga ele.

Amaro mexe o café, o olhar vago. Vêm de fora os ruídos da vida que começa: o rolar surdo dos bondes que passam na rua próxima, vozes de crianças, o guincho súbito da buzina dum automóvel, pregões...

Lá em cima, a mulher do Barata insiste na canção enjoativa:

Tu viverás me olhando,
Eu viverei te amando...

D. Eufrasina desce para o jardim para ver as suas flores. Belmira se enfurna outra vez na cozinha. O major Pombo entra ruidosamente, solta um "Bons dias, minha gente!" e senta-se à frente de Amaro.

Clarissa sorve o último gole de café, lambe a ponta dos dedos lambuzados de mel e olha o relógio: sete e vinte. É preciso estar às oito no colégio. Raio de obrigação!

E, com uma sombra de contrariedade no semblante, caminha para o quarto.

O major Pombo pigarreia.

— Que nos conta de novo, seu Amaro?

Amaro encolhe os ombros. De novo? Nada. A vida rola... Ameaças de guerra na Europa. Um discurso de Mussolini. Inundações na China. Crimes. Campanha eleitoral nos Estados Unidos. No Brasil — "isto que o senhor está vendo".

Silêncio curto.

O major volta à carga:

— Que pensa do nosso plano financeiro?

Tem a volúpia de perguntar, pouco lhe importa que respondam ou não.

— Há quanto tempo mora na capital?

Amaro já respondeu isso mais de cem vezes. O major parece que não usa a memória.

— Em 1888, quando eu era cadete...

Amaro sabe a história de cor. O major vive a contá-la. Mas — que remédio? — tem de tolerar o velho Nico Pombo. Delicadeza. Respeito por aqueles cabelos brancos "que perderam a cor no serviço da pátria" — como costuma dizer o próprio major com uma seriedade comovente.

Entusiasmado, o velho entra na autobiografia.

Ah! As revoluções que fez, as pessoas importantes que conheceu! O senhor nem imagina...

Clarissa passa pela sala, vestida de verde, boina branca na cabeça, pasta debaixo do braço. Vai rápida e silenciosa. O olhar de Amaro segue-a até a porta. O major continua a falar... Aos ouvidos de Amaro chegam sons vagos, palavras soltas: Brasil... propaganda... calamidade... ato de bravura... Canudos... capitão... o senhor compreende... abismo... país perdido...

Clarissa atravessa o jardim. Através da porta, Amaro vê a menina afastar-se... A relva dos canteiros ainda está úmida e reluzente do sereno da noite: a sombra da casa ainda não permitiu ao jardim a visita matinal do sol. As rosas mancham de vermelho e amarelo o muro caiado. Clarissa caminha por entre as flores, seu vestido se confunde, às vezes, com o verde dos canteiros. Sob a sola de suas sandálias range o areão do jardim.

Uma voz:

— Clarissa!

D. Eufrasina está debruçada à janela da frente. A menina faz alto e volta a cabeça.

— Senhora, titia!

— Juizinho, minha filha. Vá direito, sem parar em parte nenhuma.

— Fiquei de passar pela casa da Dudu.

— Ai! Ai! Ai! Não gosto nada dessas amizades... Dudu... Dudu... Não é companheira pra ti. Nada disso! Direitinho pro colégio!

Clarissa arregala os olhos.

— Ora, titia. Também a gente...

— Nada de Dudus! Não quero!

Clarissa faz um muxoxo. Volta-se toda para a janela, deixa cair os braços, entorta a cabeça, alça a sobrancelha direita e fica olhando para a tia com ar de súplica...

Mas d. Eufrasina, inflexível, ordena:

— Vamos, toca!

A sobrinha dá uma meia-volta rápida, passa o portão e ganha a rua.

Some-se a visão. Amaro olha para o major e tem a impressão de uma queda violenta. O velho Pombo já passou em revista todos os políticos do Império. Entusiasmado, conclui:

— Aqueles, sim, eram homens, seu Amaro. Homens na verdadeira acepção do vocábulo, percebeu?

O refeitório vai-se enchendo aos poucos.

Barata desce antes da mulher. Tem os olhinhos inchados de sono, a voz grossa e pastosa. As calças, muito justas, lhe modelam as coxas gordas, pondo em relevo o ventre.

Belinha vem descendo as escadas com seu ar lânguido, o rosto branquíssimo de pó de arroz. Sorri, mostrando os três dentes de ouro. Responde a um gracejo do major e pede chá. Ah! Não pode suportar o café. Faz-lhe mal aos nervos.

— Como passou a mamãe? — indaga o velho Pombo.

— A coitada passou mal a noite. — (Belinha suspira.) — Está um pouco amolada, acho que hoje não levanta...

— Faz bem... Faz muito bem...

O judeu aparece no alto da escada e grita:

— Belmira!

Do fundo da cozinha, vem a resposta:

— Quem foi que morreu?

— O Zezinho quer o café na cama. Está com dor de cabeça.

A mulata solta uma risada.

— Ora, me deixa, flor de ameixa! Olha só o maricão!

Retumba agora a voz de trovão do Nestor, que se precipita escadas abaixo:

— Ai, mulata! Como és debochada... Minha nossa!

No último degrau, estaca teatralmente e exclama:

— Bom dia, meu povo!

E depois:

— Ó Belmira! Me traz um café bem gostoso. E anda ligeiro, meu bem, que eu tenho o que fazer.

Belmira entra com a bandeja.

— Ora, não força, seu Nestor. Pressa comigo não vai. Eu sou mais é da moleza.

O major Pombo resmunga alguma coisa sobre "essas criadas de hoje".

Tamborilando com os dedos na mesa, olhos pregados em Belmira, Nestor sorri e cantarola um samba que fala em "mulata" e em "orgia".

Tomado de súbito por um tédio temperado de constrangimento, Amaro levanta-se e caminha para a porta.

No jardim todas as sombras vão aos poucos desaparecendo, tombadas pelo sol que sobe.

3

Clarissa vai andando...

Por que será que a vida parece melhor e mais bonita de manhã quando há sol, vento fresco, céu azul? E esta gente que acordou ind'agorinha que se debruça à janela, que canta, sorri, e cumprimenta os que passam?...

Sente ímpetos de dançar, correr, cantar, pegar no rabo dos cachorros, jogar pedras nos vidros das vitrinas, botar a língua para a mulher gorducha que está escarrapachada numa cadeira ali na frente do mercadinho de frutas...

"Juizinho, minha filha. Olhe que estás ficando uma moça..."

A recomendação da tia não lhe sai nunca da memória. É preciso ter compostura: andar a passo normal, não rir alto, não saltar... Caminhar como o seu Amaro: descansadamente, braços caídos, cara séria, sem olhar para os lados nem para cima... Andar como um boneco de mola. Ora bolas! Ora bolas! Ora bolas!

O sol brilha, as casas estão encharcadas de luz, o vento bole nas árvores úmidas, a manhã cheira a sereno e a flor... As pedras do calçamento, as vidraças, os globos leitosos dos combustores, os automóveis que rodam nas ruas — tudo lampeja...

Clarissa segue num encantamento. Sua sombra se espicha na calçada. Como a vida é boa! E como seria mil vezes melhor se não houvesse esta necessidade (necessidade não: obrigação) de ir para o colégio, de ficar horas e horas curvada sobre a classe, rabiscando números, escrevendo frases e palavras, aprendendo onde fica o cabo da Boa Esperança, quem foi Tomé de Sousa, em quantas partes se divide o corpo humano, como é que se acha a área de um triângulo...

Os olhos de Clarissa dançam de cá para lá examinando tudo...

A rua está animada. Nas portas das lojas de fazendas as pontas soltas das peças de seda voam como rútilas bandeiras. Passam homens e mulheres e crianças e cachorros. Na porta dum armazém um guri sardento trinca com dentes miúdos e aguçados uma rapadura de Santo Antônio da Patrulha: o queixo todo melado, os olhos lambuzados de prazer.

À beira da calçada dois homens em mangas de camisa discutem.

— Prometi cinco por cento, pago cinco por cento — diz um.

O outro faz gestos desordenados, muito vermelho, e dá pulinhos miúdos e repetidos.

— O signore é um ganalha! — vocifera.

Na janela da casa fronteira aparece uma mulher ruiva.

— Vem pra dentro, Simpliciano, não dá confiança pra esse gringo!

Clarissa sorri e segue o seu caminho.

À frente dum café para agora um caminhão pintado de azul. De dentro dele desce um mulato mal-encarado com uma barra de gelo às costas.

Que bom se eu tivesse duzentos réis pra comprar um picolé...

E esse pensamento persegue Clarissa até a esquina da praça.

Na praça, os jacarandás estão cobertos de flores roxas. Lá em cima, no topo do monumento, a imagem da República — uma mulher que tem na mão uma bandeira — faísca ao sol, recortando o seu perfil de ouro falso contra o azul puro do céu. Há, pelos canteiros verdes e pelos caminhos de pedra miúda, sombras móveis e crivos luminosos.

Clarissa fica um instante a contemplar as árvores. Na sua mente se pinta de repente uma paisagem familiar! A estância de papai. É de manhã, as vacas mugem no campo, as macegas fagulham. Na mangueira as criadas ordenham as vacas e os canecões feitos de lata de abacaxi se enchem dum leite morno e espumante. Papai, montado no seu bragado, vai percorrer as invernadas... Primo Vasco monta no petiço zaino. Que saudade!

Clarissa continua a andar.

Vontade de ficar deitada nestes canteiros, sentindo nas pernas e nos braços a umidade fresca que a noite deixou na relva. Os passarinhos cantam, invisíveis entre os ramos. O chão está juncado de flores roxas pisadas. Um perfume adocicado anda no ar.

O primeiro governador-geral do Brasil foi Tomé de Sousa. Mas, se tivesse sido o major Nico Pombo, por acaso o sol deixaria de brilhar como agora? Existe um cabo que se chama Finisterra. Mas, se não existisse, os jacarandás não estariam floridos do mesmo jeito?

Num gesto brusco Clarissa puxa para os olhos a boina branca. Frases do livro de ciências fazem piruetas em sua mente: *O corpo humano se divide em três partes: cabeça, tronco e membros.*

Mas que me importa, se a manhã é bonita, os gramofones cantam e os automóveis rolam?

Ergue o rosto para o alto. Nuvens brancas, talvez paina das gigantescas paineiras dos quintais de Nosso Senhor, flutuam no céu. Quando era menor, ela pensava que as nuvens eram feitas da fumaça dos cigarros que os homens pitavam, da fumaça das fábricas, das chaminés, das fogueiras... Quando a gente é criança, pensa tanta bobagem...

Clarissa para diante duma vitrina e vê, por trás do vidro liso e fino, um mundo de objetos coloridos: vasos de porcelana, pratos, xícaras, copos de cristal, e, bem no centro, um aquário bojudo de vidro branco, dentro do qual um peixinho dourado se move...

Que encanto! Se eu tivesse dinheiro...

Os olhos de Clarissa se agrandam. Agora ela percebe que o vidro da vitrina espelha o seu rosto moreno, em cujos lábios vermelhos e úmidos cintilam estrelinhas de sol. Dá um passo à retaguarda e mira-se no vidro com mais atenção. Um encantamento! Ela tem a impressão de que a sua imagem penetrou na vitrina, vaga e apagada como um fantasma, e, como o aquário lhe fica à altura do peito, parece que o peixinho nada ao redor de seus seios: tudo assim engraçado e impossível como em certos sonhos confusos que a gente sonha...

Se eu tivesse dinheiro, comprava esse peixinho...

Retoma a marcha e dentro em pouco avista a fachada amarelenta do colégio, com as suas sacadas de ferro, o seu ar de casarão assombrado.

Temos três espécies de triângulo: o equilátero, o isósceles e o escaleno...

Clarissa ajeita a boina e acelera o passo.

O saguão do colégio tem um bafio de porão, um cheiro de velhice.

A zeladora, ao pé da escada, mãos na cintura, imóvel como uma estátua, óculos acavalados no nariz todo picadinho de bexigas, solta a sua voz cortante e desagradável:

— Depressa, menina! A chamada vai começar.

— Bom dia, dona Filó!

Os óculos de d. Filó fuzilam.

Clarissa galga os degraus em passadas largas. A escada range.

Duma sala próxima vem o som de vozes femininas que cantam em coro:

Ouviram do Ipiranga as margens plááááacidas...

4

Clarissa contempla a menina contente que está no fundo do espelho, tão contente que nem pode deixar de sorrir. E por quê? Ora, a vida é tão boa... O sol salta pela janela, como um companheiro brincalhão, e põe as cores do arco-íris nas facetas do espelho. Lá fora os jardins estão floridos. Mamãe escreveu dizendo que tudo na fazenda vai bem. A vaca brasina (a querida de Clarissa) continua gorda, dando muito leite. Primo Vasco parece que está criando juízo. O Romeu ronrona pelos cantos, negaceando os camundongos. Papai melhorou da asma. Mas a pessegada (nunca tudo é perfeito) infelizmente queimou no tacho, de modo que não saiu gostosa como a do mês passado. Enfim, como todos vão com saúde, graças a Deus, o caso da pessegada não tem importância...

O sorriso de Clarissa se alarga. O da menina do fundo do espelho também. Passa a mão pelo rosto. Bonita? Sim. Já lhe disseram. Não diretamente, mas ela ouviu, percebeu, adivinhou. Foi na rua. Num domingo. Ia para a igreja, contente, cantarolando baixinho, com vontade de pular. Levava um vestido branco estampado com florinhas amarelas e azuis. A uma esquina estavam dois rapazes. Quando ela passou, cochicharam, arregalaram os olhos e examinaram-na de cima a baixo. Santo Deus, que sensação esquisita! Nem agradável nem desagradável. Es--qui-si-ta. De frio e de calor ao mesmo tempo. De vergonha e de contentamento. Ficou até desajeitada: trocou as pernas, perdeu o compasso da marcha. Baixando os olhos, fingiu que procurava alguma coisa entre as páginas do livro de reza. E, sem levantar a cabeça, passou pelos rapazes. Ia tonta, mas percebeu que um deles dizia baixinho uma palavra encantada de que ela só pôde ouvir com clareza as últimas sílabas:

"...nita!"

...nita? Não havia a menor dúvida. Bonita! Bo-ni-ta! Um moço tinha dito aquilo. Ela ouvira. Bonita.

(A menina do espelho está achando tudo muito engraçado.) Dentro de pouco tempo tudo vai mudar. Mamãe já prometeu em carta: *Quando fizeres quatorze anos, eu te dou licença para botar sapato de salto alto.*

Tudo então ficará diferente. Ela deixará as bonecas. Será uma moça, uma senhorita que os rapazes na rua cumprimentarão atenciosamente, tirando o chapéu. E ela responderá com um aceno de cabeça e um leve sorriso. Passará serenamente, e eles ficarão dizendo elogios...

"...líssima."

Sim. Belíssima. E por que não? Assim como está agora de sandálias, de vestidinho simples, pode ser apenas — bo-ni-ti-nha. De sapatos de salto alto, vestido de seda, será ...líssima. Belíssima. Se Deus quiser e a Virgem Santíssima. Amém!

E é com um fervor enorme que ela diz:

— Amém!

No fundo do espelho a outra Clarissa move os lábios vermelhos:

— Amém!

Mas a cabeça não para nunca de pensar. Ideias tão esquisitas...

Pensando bem, é uma coisa muito engraçada o espelho. A gente, que é uma, fica duas. O que eu faço, o outro eu imita. E se na vida existissem duas pessoas assim, bem iguais, bem parecidas? Impossível. Impossível? Talvez... Ela conhece duas gêmeas parecidíssimas. A Lia e a Lea. Não é possível diferenciar uma da outra. Iguaizinhas. Estão também no colégio. Vão sempre vestidas do mesmo jeito: geralmente é um vestidinho de xadrez preto e branco, meias pretas (estão de meio-luto por causa da morte de uma tia). Não há quem possa dizer com certeza: esta é a Lia, aquela é a Lea. Ninguém pode. Com ela, Clarissa, aconteceu um dia uma coisa engraçadíssima... Foi no corredor da escola. Uma das gêmeas (muito implicante) lhe botou a língua, uma língua cor-de-rosa, com manchas esbranquiçadas, que se espichou para fora da boca larga. Clarissa pensou:

Tu me pagas, mal-educada!

Foi procurar a professora:

— Fessora, a Lia ou a Lea me botou a língua no corredor...

D. Amélia Borralho, professora do quinto ano, olhou para Clarissa. Seus óculos fuzilaram ferozmente. Cada uma das lentes finas refletia uma janelinha iluminada.

— Mas, no fim de contas, quem foi que lhe botou a língua no corredor? A Lia ou a Lea?

Clarissa embatucou. Não sabia se a língua era da Lia ou da Lea. Achava até que isso não tinha importância. Esperava que a professora castigasse as duas, pelas dúvidas...

— Vamos! — insistiu a mestra, sacudindo a cabeça. As janelinhas luminosas dançaram nos vidros dos óculos.

E o crime ficou sem castigo porque não foi possível dizer com firmeza se tinha sido a Lia ou a Lea. Oh! mas tudo aquilo aconteceu já havia mais de um ano em Jacarecanga. Clarissa era uma pirralha. Naquele tempo ainda gostava de fazer queixa, era bobinha, não compreendia as coisas. Agora está diferente. E mesmo a Lia e a Lea já ficaram para trás, repetindo o quinto ano.

Mas, pensando bem, bem mesmo, não há no mundo duas pessoas bem iguais. Só quando são gêmeas. Ou quando são aquela outra coisa que se chama... se chama... Como é que se diz quando duas pessoas são coladas — coladas? — uma na outra. Hidrófobos? Qual! Isso é cachorro louco. Antropófagos? Tem graça: antropófago é homem que come carne de gente. Os índios que moravam no Brasil eram antropófagos em sua maioria, isto é: *Davam-se à antropofagia, que é o feio hábito de comer carne humana*. Foi assim que o velho Sarmanho, professor de história do Brasil, falou na aula, com o dedinho no ar. Logo: antropófago é isto e não aquilo. Mas então como é?... Sei que é uma palavra que termina em *-ófago*...

No fundo do espelho a outra Clarissa pensa também, com uma ruga de concentração na testa.

Ouvem-se agora, pela casa toda, vozes, estalidos, murmúrios, guinchos.

A vozinha aguda do papagaio corta o ar:

— Clarissa!

Ela sorri. Até o papagaio sabe seu nome. Foi uma das poucas palavras que conseguiu aprender. Aquele papagaio verde e encarnado não diz outra coisa. Também, todo o dia ouve aquele nome... Se os nomes se gastassem, o dela estaria gasto... Clarissa, está na hora do colégio! Clarissa, vem pra dentro! Clarissa, sai do sol! Clarissa, sai da chuva! Clarissa, vai estudar. De tanto ouvir o nome, o papagaio aprendeu...

Do andar superior vem uma voz molenga, sincopada, irregular:

Quem te inventou, meu pancadão,
Teve uma consagração...

Clarissa escuta. É a voz do Nestor, que deve estar no banho. Vive cantando. Um vagabundo (diz o tio Couto) que nunca consegue fazer seus preparatórios.

Porque, mulata, tu não és deste planeta...

Voz de gente ordinária — reflete Clarissa. — Mulata! Um rapaz branco de boa família falando em mulatas, cantando essas canções reles. Mulata é a Belmira, que namora um guarda-civil e diz nomes feios. Nem sei como é que a tia Eufrasina ainda não despachou essa desaforada...

Agora o canto cessou. Nestor bufa, solta gritos agudos, assobia. Decerto a água está fria. Fria? Não é possível. Fresca, isso sim. Tamanho homem gritando por causa duma ducha de água fresca!

Outra vez a voz, agora clara:

Mulata, eu quero o teu amor!

Bobo! O amor de Belmira é do guarda-civil.

Vem da varanda um barulho de pratos que se chocam, de talheres e copos que tilintam. Chega até as narinas de Clarissa um cheiro bom de carne assada.

A voz de Nestor fica mais forte:

O amor é uma coisinha boa,
Parece à toa,
Mas é muito boa...

Vai se sumindo aos poucos, até desaparecer.

— Levanta, homem! Que coisa horrorosa! Já são meio-dia!

É a voz da tia Eufrasina. Está acordando o marido.

O tio Couto parece um príncipe. Ainda não arranjou emprego. Passa o dia inteiro tomando mate chimarrão e conversando fiado com o major. Às vezes inventa um trabalho no pátio ou no jardim: podar uma roseira, plantar uma flor, consertar o galinheiro. Quando lhe perguntam:

"Então, seu Couto, já conseguiu colocação?"

Ele responde sempre:

"Não, mas estou muito esperançoso. Fulano vai botar pistolão pro secretário do Interior..."

Com voz grossa e imperiosa, tia Eufrasina insiste:

— Levanta, Couto. Já são meio-dia!

Clarissa acha engraçado aquele "já são". Também, a coitada da tia nunca esteve na escola. A verdade é que ela é quem dirige a pensão, quem trabalha para o marido. O tio Couto estudou, mas no fim de contas não arranjou nada. Um nulo! Quem costuma dizer isto é a própria titia:

"És um nulo!"

Naturalmente não diz perto de estranhos. Mas Clarissa ouve sempre... Perto dela a tia não escolhe as palavras.

O papagaio torna a gritar:

— Clariiiiiissa!

E as duas Clarissas se entreolham numa longa e apaixonada contemplação mútua. O mesmo sorriso de compreensão e ternura ainda ilumina o rosto de ambas.

A porta abre-se de repente. Ui, que susto! Tia Eufrasina entra no quarto. Clarissa se volta, rápida.

— Se namorando outra vez na frente do espelho, hem?

Dizendo isso, a tia sorri com bondade. Clarissa balbucia uma desculpa, embaraçada:

— Não, senhora, estava só olhando uma espinhazinha que apareceu aqui na ponta do nariz... Será que arruína?

— Soubeste a lição?

— Então! Maravilhosamente!

— Viste a Dudu?

— Não.

— E a Vivi?

— Também não.

O dedo fura-bolo de d. Eufrasina se espicha na direção do rosto da sobrinha:

— Olha, mais uma vez te digo: não quero saber de muita intimidade com a Dudu e a Vivi. Elas não têm lá muito boa fama. São sapecas que é uma coisa horrorosa. E eu prometi à tua mãe não me descuidar de ti. Toma nota!

D. Eufrasina vai até a janela e abre-a de par em par. Clarissa fica olhando fixamente para a imagem de santa Teresinha que pende da parede, numa moldura feita em casa.

"Sapecas que é uma coisa horrorosa." Como a tia Zina exagera! E como gosta de dizer *horroroso*... Que coisa horrorosa. Que homem horroroso. Que mentira horrorosa.

Debruçada à janela, d. Eufrasina começa a resmungar:

— Preciso mandar caiar o muro, limpar o jardim e podar a parreira. Mandei o Couto telefonar pra intendência pedindo um homem para arrumar a torneira da cozinha, que está pingando que é uma coisa horrorosa. O Couto, como sempre, se esqueceu. Só não esquece é de comprar fumo crioulo e erva pro chimarrão. Nulidade! Não sei por que Deus bota no mundo tanta gente inútil...

O rosto de Clarissa ensombrece:

— Eu sou inútil, tia Zina?

Uma voz sentida. Dois olhos que de repente entristecem. Tia Zina continua de costas. Mas é com doçura que diz:

— Não, minha querida. Tu não és inútil. Tu és boazinha. Eu falo é do teu tio.

Tia Zina é assim. Gosta de falar, de resmungar, de maldizer a sorte. Não precisa de interlocutores: fala sozinha. Ou com a velha Andreza, a cozinheira, com o papagaio, com o gato, com as roseiras, com as galinhas. E, quando se junta com a d. Tatá da casa vizinha, as lamentações e as queixas então não têm mais fim. D. Tatá conta suas desgraças. O bonde lhe cortou a perna do filho de sete anos. O Barbosa, o marido, tomou certo dia uma bebedeira, caiu no rio e morreu afogado, deixando dívidas. Vida apertada. Os cobradores vivem a bater na porta. D. Tatá é modista, mas as costuras lhe rendem pouco dinheiro. D. Eufrasina, por sua vez, se queixa da alta dos gêneros, do marido que está há seis meses desempregado; fala de um e outro hóspede que está atrasado no pagamento da pensão...

Clarissa aproxima-se da janela e fica olhando para fora. À luz do meio-dia, toda a paisagem tem rebrilhos e reverberações que ofuscam. Longe, o rio parece que prendeu fogo. No quintal as galinhas bicam o chão cheio de sol, manchando de sombras tênues a terra parda. No pátio da casa vizinha o menino doente brinca com os seus soldadinhos de chumbo. É pálido e tristonho, parece de cera. Olhos no fundo, muito redondos, baços e desencantados. Tonico não tem amigos. A mãe nem sempre lhe pode fazer companhia e o pequeno fica por muitas horas no pátio, tomando sol, movimentando os seus soldados, imaginando batalhas e paradas fantásticas. Às vezes Tonico fica a olhar com olhos compridos e ansiosos os aviões que passam. Tonico gosta dos aviões, gosta de soldados, gosta de histórias de guerra. Tinha vontade de ser militar quando ficasse grande. Quando na rua desfilam batalhões ao som de clarins e tambores, o menino doente fica tomado dum frenesi, agita-se — olhos momentaneamente brilhantes —, sacode os braços ao ritmo da charanga, faz um esforço desesperado para se levantar e por fim, impotente, põe-se a golpear com os punhos fechados a guarda da sua cadeira de rodas, numa raiva histérica. O som dos clarins e dos tambores perde-se ao longe, o batalhão passa, o menino doente se acalma: seu rosto retoma a antiga imobilidade, os olhos de novo caem na sombra, morrem.

Clarissa tem uma pena infinita do seu pobre vizinho mutilado.

Meu Deus — reflete ela —, como é que o Senhor permite essas coisas, como é? Por que é que ali naquela casa rica do outro lado há sempre cortinas bonitas nas janelas, música, cantigas, um automóvel grande, um jardim imenso com todas as flores do mundo, crianças bem gordinhas, bem coradas, bem alegres, que têm duas pernas, que podem ser soldados quando crescerem... que podem seguir na rua os batalhões... que podem sorrir... Meu Deus, como é que o Senhor permite que dona Tatá se mate todo o dia e toda a noite em cima da máquina de coser? Meu Deus, por que o Senhor deixou que um bonde estragasse a perna do Tonico? Por quê?

D. Eufrasina resmunga:

— Preciso alugar aquele quarto pegado ao do judeu. As coisas não andam boas. Se me viesse mais um pensionista, era uma mão na roda. É pra contrabalançar esse peso morto do Couto.

Clarissa mal a escuta. Não enxerga a paisagem coruscante, nem as rosas e as margaridas, nem o céu, nem o rio, nem as árvores... Dentro da paisagem agora para ela só existe o menino doente da casa pobre, o menino doente que nunca poderá realizar o seu sonho, o menino doente da cadeirinha de rodas, dos soldadinhos de chumbo, do olhar tristonho...

Do quarto de Amaro vêm os sons do piano. Uma melodia muito suave enche o ar. Clarissa pensa em Amaro. Insensivelmente uma palavra lhe brota dos lábios, num cicio:

— Coitado!

Mas quem é o coitado? Seu Amaro ou o menino doente?

Os dois.

Clarissa não sabe explicar por que motivo acha uma semelhança tão grande entre o pequeno mutilado e Amaro, o homem da cara triste.

5

Amaro fica olhando para fora, através das janelas por onde a luz do meio-dia escorre. O seu corpo está aqui na sala de refeições da pensão de d. Eufrasina Couto. Mas o pensamento voou para longe.

Uma vez, há muitos, muitos anos, um menino olhou a vida com olhos interrogadores. Tudo era mistério em torno dele. Era numa casa grande. O arvoredo que a cercava amanhecia sempre cheio de cantos de pássaros. O mundo não terminava ali no fim daquela rua quieta, que tinha um cego que tocava concertina, um cachorro sem dono que se refestelava ao sol, um português que pelas tardinhas se sentava à frente de sua casa e desejava boa-tarde a toda a gente. Não. O mundo ia além. Além do horizonte havia mais terras, e campos, e montanhas, e cidades, e rios e mares sem fim. Dava na gente vontade de correr mundo, andar nos trens que atravessam as terras, nos vapores que cortam os mares. Andar... Nos olhos do menino havia uma saudade impossível, a saudade de uma terra nunca vista. Um dia — quem sabe? —, um dia um vento bom ou mau passa e leva a gente. Um dia...

"Amaro, meu filho, que é que você quer ser?"

"Marinheiro. Pra viajar. Ou maquinista, pra viajar também."

Mamãe sorria e continuava a bordar. Tinha uns olhos bons e um jeito todo especial de olhar para os outros. Papai falava grosso. Tinha bigodões retorcidos e uma enorme medalha de ouro presa à corrente do relógio.

"Meu filho, um homem precisa fazer força para triunfar. Só os fracos é que se abatem diante da vida."

Papai dizia isso sempre, com a testa franzida, sacudindo a mão fechada no ar; e a medalha grande dançava contra o colete escuro.

Lutar... Amaro sentia arrepios. Lutar. Luta era sangue. Lutar era ferir e ser ferido. Homens que vencem e são vencidos. Mas que é o triunfo, que significa vencer? Não seria melhor ficar sempre e sempre ali, junto da mãe, na cidade natal, na rua humilde onde havia um cego que tocava concertina, um cachorro sem dono que se refestelava ao sol e um vendeiro português que pelas tardinhas...

— Posso trazer o almoço, seu Amaro?

Na sua frente, Belmira sorri com dentes alvíssimos. Amaro sacode a cabeça afirmativamente.

— Pode.

Enfim... Eram recordações boas. Tudo aquilo tinha ficado muito longe no passado. Verdade é que a gente nunca esquece a infância. Pieguices? Mas que é que a vida nos pode oferecer de melhor, de mais puro?

— Por que é que está tão pensativo, hoje?

A pergunta vem do major Pombo. O velho está já sentado à mesa, sorridente. Com a ponta do guardanapo limpa o côncavo duma colher. O sol lhe bate nos vidros dos óculos, dão-lhe assim um olhar vazio, de estátua.

De outra mesa Gamaliel intervém, pescoço espichado:

— O senhor diz *hoje*, major. Mas seu Amaro anda *sempre* triste...

O major volta a cabeça para o prático de farmácia.

— O senhor também não é lá muito para que se diga, seu Gamaliel. Vive calado como o seu Amaro. Parecem até irmãos.

Gamaliel sorri. Mastigando um pedaço de pão, justifica-se:

— Sou quieto mas não sou triste. Não confunda tristeza com calma...

— Qual! Vocês rapazes de hoje não têm mocidade! São uns sorumbáticos. No meu tempo...

Amaro outra vez mergulha no sonho. Que fim levou aquela casa cercada de árvores? Que fim levou aquela mãe de olhos bons? E aquele cavalheiro severo, de bigodes retorcidos?

— O bife hoje está notável!

Aos ouvidos de Amaro essas palavras soam vagas, abafadas, longínquas, como que vindas dum outro mundo.

Belmira distribui os pratos pelas mesas.

A varanda começa a encher-se aos poucos. Nestor desce os degraus ruidosamente. Vem com o rosto afogueado, os cabelos molhados.

Tio Couto, com cara de sono, deseja bom-dia a todos.

Belinha surge no alto da escada. Tem os olhos pisados. Desce pausadamente, com uma calma estudada.

Ondina e o marido já desceram também. O barulho aumenta. Conversas desencontradas. O tio Couto já está salvando o Brasil:

— Precisamos é de homens de boa vontade. De homens que trabalhem, j'ouviu? Assim como a coisa está, vai mal, palavra!

Belinha explica a Gamaliel que a mãe continua de cama, com o "maldito reumatismo". O major intervém, receitando fricções de Linimento Milagroso.

Barata fita no major os olhinhos empapuçados:

— A propósito, major, conhece aquela anedota do árabe e do papagaio? É piramidal!

Amaro está proibido de sonhar. Esta confusão de vozes de todas as cores, em todos os tons, entremeada do retinir de copos, pratos, talheres e do arrastar de cadeiras, obriga-o a ficar aqui na sala de refeições da pensão da d. Eufrasina, em companhia do Barata, caixeiro-viajante e contador de anedotas, da mulher do Barata, do tio Couto, que não trabalha e quer regenerar a República, do major, que faz perguntas e dá conselhos, da Belinha de olhos românticos e do Gamaliel, prático de farmácia e metodista.

Se ao menos eles esquecessem a sua presença...

Mas o major é implacável:

— Qual é a sua opinião sobre o suicídio, seu Amaro? — pergunta. — Vamos lá, o senhor que é um moço instruído...

Amaro ensaia um sorriso, balbucia uma palavra.

Levinsky desce as escadas, silencioso como um fantasma. Mas, ao caminhar para a sua mesa, tropeça na coluna de madeira que sustém um dos vasos. A coluna se agita e o vaso cambaleia e tomba, partindo-se em cacos no chão.

Todas as cabeças se voltam para o judeu. Levinsky está vermelho como um tomate.

Amaro, porém, sente um alívio imenso. Levinsky salva-o... Agora pode fugir à pergunta do major sobre o suicídio.

Atraída pelo barulho, d. Eufrasina aparece à porta da cozinha e fica olhando para o vaso com ar espantado: surpresa, pena e revolta.

A muito custo Levinsky consegue balbuciar:

— Eu pago, dona Zina, eu... eu... pago, não fique zangada...

Amaro aproveita o momento em que todas as atenções estão voltadas para o rapaz e de novo dá um mergulho no passado.

Um dia veio um vento — bom ou mau? — e levou para longe o menino que queria viajar. Ficou para trás a cidade pequenina com todas as suas coisas bonitas e queridas.

Onde estará agora aquela gente toda? Onde estará a preta velha que contava casos *do tempo de dantes*? Onde estará o burrico peludo de olhos mansos em que ele costumava passear aos domingos pelo campo? Como lhe está ainda viva na memória a lembrança daquele dia em que acampou na vila um circo de cavalinhos... Uma tarde, por sinal era uma tarde muito clara de verão, o palhaço saiu à rua de macacão bicolor: amarelo dum lado e azul do outro. Ia montado no burrico peludo, no mesmo burrico de olhos mansos que o levava a passear pelo campo. (O diretor do circo o tinha alugado de papai por cinco mil-réis por dia.) Amaro estava à janela quando o cortejo passou. Na frente ia o palhaço montado no burrico. Atrás, um bando de moleques. O palhaço gritava:

"Hoje tem marmelada?"

Os guris respondiam:

"Tem, sim sinhô!"

E o palhaço:

"Sentadinho na bancada? Com a sua namorada?"

E os guris:

"É, sim sinhô!"

Outra vez o palhaço:

"O palhaço que é?"

O coro:

"Ladrão de muié."

Amaro olhava e batia palmas. O cortejo se afastava, envolto numa nuvem de poeira que o sol incendiava.

"Mamãe, me deixa ir com a gurizada?"

Mamãe franziu a testa, sacudiu a cabeça e disse:

"Moleque é que anda atrás de palhaço."

Choramingando, Amaro ficou em casa a imaginar como seria bom seguir o homem de macacão amarelo e azul. Como último argumento, alegava:

"Eu tenho direito. Ele vai montado no meu burro..."

O palhaço e os guris desapareceram numa esquina. Mal se lhes ouvia a cantilena: o responsório esganiçado e a voz rouca do *clown* iam-se sumindo, apagando na lonjura:

"...aço ...e ...é?"

"...ão ... ...ié!"

— Clarissa, vem pra mesa!

A voz aguda de d. Eufrasina apaga impiedosamente a imagem do palhaço e do cortejo de moleques. Amaro volta à tona...

— Que história é essa? — pergunta tio Couto. — O seu Amaro está enjoando da nossa comida?

Só agora Amaro percebe que nem tocou nos talheres. Balbucia desculpas.

Estava esquecido até do almoço. Sempre o velho vício. Sonhando, devaneando, enquanto os outros conversam, gesticulam, vivem de verdade. É por isso que não há de passar nunca de simples funcionário de banco. A música não lhe dá dinheiro. Os editores sempre vêm com a mesma desculpa:

"Nós sabemos que o senhor tem talento, que sabe compor, mas infelizmente o nosso público quer sambas e foxtrotes. Escreva uma marchinha para o Carnaval que vem, um samba ou coisa que o valha, e nós editaremos a música por nossa conta."

Nessas ocasiões Amaro pensava sempre no carão severo e inflexível de Beethoven. E tinha vontade de dizer num cicio de oração:

"Mestre, não faça caso, eles não sabem o que dizem..."

E assim vivia ele dentro do sonho, alheio ao mundo objetivo. Perdia aquilo a que os homens práticos chamam oportunidade. Cumpria o seu destino obscuro, de contemplativo.

Mas ia ficando para trás: sem dinheiro, sem amigos, sem glória, sem nada — na sombra: uma vida mais apagada que a do Micefufe, o gato da casa. Porque o Micefufe, enfim, se afirma: luta contra os camundongos; luta e vence-os. O Micefufe anda pelos telhados nas noites de lua e ama as gatas da vizinhança.

"Se o senhor, seu Amaro, não fosse tão distraído, seria um ótimo funcionário. Tem até uma letra muito boa..."

Só de pensar na opinião do contador do banco, Amaro sente um mal-estar desconfortante. Quando terminará o conflito? Conflito com a vida, com os homens que andam pela vida a se magoarem uns aos outros, a disputar lugares aos encontrões e cotoveladas? Cada dia que passa é uma tortura que se repete. O expediente do banco, o tá-tá-tá das máquinas de escrever, os cavalheiros que discutem juros de mora, taxas, câmbios; contínuos que passam com pastas gordas de papéis cheios de algarismos; e homens inclinados sobre as carteiras, escrevendo, registrando, calculando... E a fúria de uns para conseguirem juros mais vantajosos, e o desespero de outros por não poderem pagar os títulos vencidos, e as ameaças de protesto, e mais juros, e mais cálculos, e números, números, números, afogando, esterilizando, complicando, matando.

Só de pensar naquelas coisas, Amaro sente arrepios.

De súbito, inexplicavelmente, um apetite devorador o assalta. E, pensando ainda na ganância dos homens, no conflito da vida, começa a triturar ferozmente as batatas fritas de d. Eufrasina.

As conversas continuam, animadas. Ondina e Belinha discutem cinema:

— Ah! Homem para mim há de ser como o Warner Baxter, forte, corpulento, simpático... — diz a primeira.

Barata, de cabeça baixa, gordo e pesado como um porco, refocila no prato transbordante. A mulher gosta de Warner Baxter? Entre a sala da dona Eufrasina e Hollywood há milhares e milhares de quilômetros. O perigo está conjurado... Ademais esses tipos de cinema ganham como que um prestígio de mito, de lenda, de figuras de sonho, homens e mulheres dum mundo irreal... Se a mulher dissesse que gostava do bolicheiro ali da esquina — ah! —, isso seria diferente.

Belinha discorda:

— Eu, minha filha, prefiro o romantismo do Novarro. Ai! Que olhos, meu Deus, que boquinha de anjo, que encanto! Maravilhoso! Ai!

— Um efeminado! — faz Ondina, com desprezo.

Na mesa do Nestor e do judeu a discussão está acesa:

— Os principais homens da humanidade foram judeus — afirma Levinsky.

Nestor faz um gesto depreciativo.

— Ora, vá tomar banho, seu russo!

Mas o outro, renitente:

— Newton era judeu — insiste. — Spinoza era judeu, Nordau era judeu. Einstein é judeu. E outros e outros...

Belmira, que passa com uma bandeja nas mãos, faz uma careta de nojo:

— Sai, judeus! — diz. — Vocês mataram Jesus Cristo!

D. Eufrasina repreende:

— Belmira! Que intrometimentos são esses?

A mulata se esgueira por entre as mesas, rebolando as ancas.

O major fala dos tempos da Monarquia. Tio Couto (toda a gente lhe chama "tio") critica a ação do ministro do Trabalho. E conclui:

— Só uma revolução é que pode endireitar esta joça.

Gamaliel, voz macia, olhar inocente, conversa com Zezinho, que está encolhido no seu canto, muito pálido:

— E não se habituou ainda?

O estudante de medicina encolhe-se ainda mais. Parece mareado. Muito pálido, afasta os pratos com delicadeza:

— É inútil... Cada vez que tenho de assistir a uma autópsia, vômitos, tonturas... Por três dias fico imprestável.

Zezinho tem uma voz delicada, de timbre feminino. Gamaliel sugere:

— Meu amigo, ouça o que diz a Bíblia: "Se o teu olho direito te serve de escândalo, arranca-o e lança-o fora de ti; porque é melhor que se perca um dos teus membros do que o teu corpo vá para o inferno".

De súbito, voltando a cabeça, o major solta uma pergunta rápida:

— Por que não abandona a medicina?

Zezinho entorta a cabeça juvenil. Brilham-lhe os olhos úmidos. Parece embaraçado.

— Ora... já que comecei... Dá pena ver tanto trabalho perdido...

Tio Couto faz um gesto largo:

— Deixe a medicina, menino. Vá para a engenharia. Nós precisamos de engenheiros, de gente que trabalhe, que nos faça estradas, pontes, represas, j'ouviu?

Palitando os dentes, Nestor intervém:

— Por falar em trabalhar... o senhor já cavou o seu ossinho, tio Couto?

O rosto do marido de d. Zina mantém-se imperturbável.

— Ainda não, mas estou muito esperançado. Parece que o secretário do Interior vai me nomear no princípio do mês que vem...

D. Eufrasina bebe um gole d'água e depois, com ar descrente, resmunga:

— Nomeará ou não... Eu é que não me fio em promessas...

O marido esboça um gesto de enfado.

— Ora, você, sempre pessimista. O que mata este país é o pessimismo. O nosso povo é um povo doente de descrença.

E, animando-se, ergue a voz:

— Ora bolas! Se o homem prometeu, é porque faz. Que razão temos nós para duvidar da palavra dele? Ora bolas!

Gamaliel, dobrando o guardanapo com paciência evangélica, anima-o:

— Não desanime, senhor Couto. A quem Deus promete não falta.

— Amém! — cantarola Nestor.

Barata, que já limpou o prato, refestela-se na cadeira, afrouxa a cinta, desabotoa o colete e pergunta:

— Por falar em amém, vocês conhecem aquela história do padre e do colono? É piramidal!

Amaro olha a sala agitada. Clarissa vem chegando. A tia franze a testa:

— Sempre atrasada! Cansei de chamar... A comida até já esfriou.

Clarissa sorri. Tem os cabelos molhados, a pele fresca. Senta-se à mesa, olha em torno, respira com força.

E Amaro — sem saber por quê — lembra-se de repente de certa tarde dum verão longínquo. Era num dos meses mais adustos. A cidade rescaldava sob o olho de fogo do sol, as pedras ferviam. Parecia uma praga. Mas naquela tarde caiu do céu inesperadamente um aguaceiro grande, demorado e fresco. E num milagre o sol de novo brilhou, mais doce, sobre os jardins molhados.

6

— Prrr-pi-pi-pi!

Clarissa vai dar de comer às galinhas. Com a mão esquerda, segura a ponta do avental, que forma um bojo fofo onde o farelo e os grãos de milho se aninham.

Tardinha. A sombra da casa vai aos poucos avançando sobre o pátio. O céu empalidece.

Com a mão direita, Clarissa lança no ar punhados de milho e farelo, no gesto de quem semeia.

Num cacarejar miúdo as galinhas vêm correndo, sacudindo as asas, e começam a dar bicadas a esmo, sôfregas; arranham o chão, comprimem-se, amontoam-se, disputando os grãos. No meio delas, os pintinhos, arrepiados e encolhidos, piam desconsoladamente, perdidos no aglomerado de penas, bicos e patas.

— Não se apressem! — grita Clarissa. — Tem pra todos!

E cobre o chão de grãos dourados. Ri, com a impressão de que está jogando fora ouro, muito ouro.

No fundo do pátio um peru preto passeia dum lado para outro, lento, indiferente ao espetáculo tumultuoso. Por que será que não vem? Falta de apetite? Ou orgulho?

Clarissa cantarola:

— P'ru! P'ru! P'ru!

Solene como um rei, o peru continua imperturbável, enquanto as galinhas disputam o milho a bicadas violentas. Agora um galo de crista escarlate entra no grupo como um tufão, abrindo caminho à força de empurrões.

Bruto — pensa Clarissa. — Um homem deve ser delicado com as mulheres...

Oh! Mas o galo não entende a língua dos homens. E, no mundo do galinheiro, decerto não há etiqueta.

Clarissa acocora-se. "Acabou-se o qu'era doce, quem comeu se arregalou-se." Agora ela pode olhar tranquilamente toda a bicharia do quintal: já cumpriu a obrigação.

Que cara engraçada têm as galinhas! Dois olhinhos miúdos como contas, o bico, as penas, os pés. E por que será que chamam pés de galinha às rugas que as pessoas que estão envelhecendo têm no canto dos olhos? Por que será também que, quando o céu está cheio de nuvens finas, tremidas e compridas, transparentes como um véu, dizem que o céu está cheio de rabos de galo? Tudo na vida é tão engraçado...

Agora os olhos de Clarissa estão fitos num pintinho magríssimo e encolhido, que se acha parado longe do grupo, quieto, a cabeça quase sumida dentro da penugem arrepiada.

O pobrezinho, naturalmente, está pesteado. Por que será que há um doutor para os homens e não há um doutor para os pintos? Mas, pensando bem, seria de morrer de riso se aparecesse agora um doutor galo, de óculos, bolsinha na mão, e chegasse e dissesse para o pintinho doente: "Menino, bote a língua" — e depois tomasse o pulso dele e se pusesse a escrever uma receita para mandarem fazer na farmácia, uma farmácia de galinhas, naturalmente... Tudo bobagens! A tia Eufrasina sempre diz que ela é uma tolinha, que vive fazendo perguntas absurdas, portando-se como uma criança. Ora... não é por mal. Se ela pensa essas coisas, por que não há de dizê-las? Que culpa tem de fazer perguntas bobas se ninguém lhe explica nada, ninguém lhe conta como são os segredos do mundo? Lá em casa, na estância, não tinha amigas para conversar. Papai vivia no campo. Na hora da sesta, dormia. Na hora das refeições, comia e só falava nos rodeios, na marcação do gado, na safra... Quando ela — pobrezinha — perguntava: "Como é que nascem os terneiros, papai?", mamãe arregalava uns olhos deste tamanho para ela, papai franzia as sobrancelhas cerradas e ficava com a cara parecida com a daquele gigante que comia crianças.

Clarissa senta-se no chão e cruza as pernas. As galinhas agora se encontram espalhadas por todo o quintal. Dois franguinhos brancos se dão bicadas. Beijos? Clarissa observa-os, interessada. Será que estão brigando ou estão se acariciando? Mas, pensando bem, o beijo é uma coisa muito esquisita. Lábios que se encostam noutros lábios. Para que tanto mistério? No cinema todos os namorados se beijam, ninguém repara, ninguém fala. Aqui fora, se a gente fosse beijar um rapaz — meu Deus! —, vinha o mundo abaixo, toda a gente falava, toda a gente criticava. Dizem que a Vivi é muito desfrutável, que beija todos os namorados que tem... A Dudu também. Decerto isso é de família: são irmãs. Mas que bobagem! Uma pessoa fica malvista, fica falada, fica sendo considerada desfrutável e sapeca só porque deixou o namorado encostar os lábios nos lábios dela. Ora, já se viu? Enfim, ela — Clarissa — é uma boba que não sabe nada da vida. Decerto deve haver um segredo muito grande nessa história do beijo. Um segredo que pouca gente sabe. Deve ser alguma coisa boa. Se não fosse boa, os namorados não faziam tanta questão do beijo. Sim, isso é o beijo de namorados. Porque o beijo que a gente dá na mãe, no pai, na tia, numa amiga — é diferente. Pelo menos deve ser. Se não for, então tudo é bobagem. Se o beijo dos namorados tem o mesmo gosto... não vale a pena. Enfim... É um segredo, um mistério, não sei...

Inclina-se mais sobre o chão. A terra está inundada de sol. Aqui e ali brilham seixos miúdos, pedaços de vidro, gravetos. Clarissa compara a epiderme do braço com a cor da terra. Sorri.

Quase da mesma cor! — pensa. — Morena. A terra também é morena. Eu sou assim é porque aquele sol lá da estância queima. Depois, o papai é moreno, a mamãe é morena. Eu tinha de nascer morena.

Fica por um instante com o olhar vago, imaginando coisas...

Mas como é que aquele pintinho amarelo é filho da galinha preta? Logo, a cor da mãe não regula...

Decididamente: ela não sabe nada da vida. Mesmo, não podia ser de outro modo. Titia vive com o olho em cima dela: não a deixa passear, só lhe permite um cinema por semana (e isso mesmo nem todas as semanas), não quer que ela tenha amigas íntimas, chega quase a enxotar de casa a coitada da Dudu, a coitada da Vivi. Quanta coisa interessante elas lhe poderiam contar! Sim, porque a Dudu e a Vivi conhecem muitos mistérios, sabem o segredo do beijo, e muitos, muitos outros segredos mais...

Mas, se Deus quiser, o tempo há de passar, vou ficar moça, ter namorados de verdade, um noivo. Um dia me caso e depois ganho um bebê. Numa noite muito estrelada, com uma lua enorme — o bebê vem num cestinho de ouro, preso ao bico duma cegonha. Duma cegonha? Mas será mesmo que as crianças são trazidas pela cegonha? Claro, ela sabe que essa história de cegonha é invenção. Mas o melhor mesmo é nem pensar nisso...

Clarissa franze a testa, alça de leve a sobrancelha direita, fica com a cabeça inclinada sobre o ombro esquerdo, numa grande indecisão... Agora se lembra de que um dia aconteceu um fato que lhe deixou na cabeça uma dúvida dolorosa...

Foi na varanda da pensão. A Dudu tinha vindo convidá-la para ir à vesperal dum cinema do centro. Ficaram falando diversos assuntos... Duma fita de Janet Gaynor, duma baratinha cor de laranja que passava todas as tardes pela frente da pensão. Por fim Clarissa perguntou:

"Tu sabes, Dudu, que a cegonha trouxe um bebê para a dona Emília?"

Dudu fez uma cara de surpresa. Botou a mão espalmada no rosto e, num ar de troça, disse:

"A cegonha foi que trouxe o bebê pra dona Emília?"

Ora, aquilo era uma maneira de dizer. Mas ela não queria que a Dudu soubesse que ela sabia da verdade. Não teve outro remédio senão ficar com uma cara de inocente.

"Como és boba, Clarissa! Então tu és ainda do tempo que a gente acreditava que as cegonhas é que traziam os filhos pras mães?"

Naquele momento entrou a tia Eufrasina. Tinha ouvido tudo. Vinha de cara fechada.

"Isso não são conversas próprias pra meninas decentes!"

Clarissa passeia o olhar pelo pátio. O peru orgulhoso gruguleja, esticando o pescoço, sacudindo o papo vermelho e flácido.

Orgulhoso — pensa Clarissa. — Não quis o meu farelo. Deixa estar, quem vai te dar a bebedeira na véspera do Natal sou eu...

Em seguida, arrepende-se do pensamento. Julga-se já um pouco culpada do assassínio do peru. O pobre bicho está condenado. Tia Eufrasina já o marcou:

"Este é pro Natal."

O major diz sempre:

"Não se esqueça de que eu sou louco por peru com farofa."

Clarissa entrega-se a novas reflexões... Os homens são maus. Criam os pintos, dão-lhes de comer — farelo, água, milho. Eles crescem, ficam galinhas, andam pelo quintal esgravatando a terra com o bico e com as patas, botando ovos, caçando minhocas; e um belo dia — zás! — lá vem sia Andreza e agarra os míseros bichinhos, torce-lhes o pescoço e larga no chão um corpo mole que pinoteia, num esforço desesperado para não morrer.

Clarissa um dia viu quando torceram o pescoço de uma galinha: no almoço não comeu, impressionada. De noite, sonhou. Uma barbaridade! Não devia ser assim...

Enternecida, Clarissa estende o braço para apanhar o pintinho arrepiado, para acariciá-lo, para dar-lhe um pouco do seu calor. Mas o pintinho foge assustado, piando perdidamente. Clarissa pensa:

Está ressabiado. Também, o que ele vê todos os dias dá pra assustar...

Ergue-se.

Está na hora do banho. Parece até um milagre a tia não ter surgido ainda à porta para gritar: "Clarissa, está na hora!".

Até o papagaio estranha, pois sacode a plumagem e grita:

— Clariiiissa!

O papagaio é mais feliz. Todos lhe dão de comer, conversam e brincam com ele. Mas ninguém pensa em comê-lo com farofa. Boa-vida!

Clarissa caminha. Os pés descalços pisam a terra morna. O céu está muito claro, duma claridade leitosa. O sol já se escondeu por trás da casa de d. Tatá. Ouve-se a voz do menino doente:

— Mamãe! Mamãe! Vem me buscar, não tem mais sol... Estou com frio...

Uma voz dolorida, fraca, que se crava no coração da gente.

Se as galinhas pudessem falar — pensa Clarissa —, na hora do sacrifício decerto falariam com voz igual à do Tonico.

"Sia Andreza, não seja má, não me torça o pescoço!"

Com uma sombra de tristeza nos olhos, Clarissa entra em casa.

7

Na meia-luz do quarto, onde a lâmpada elétrica está apagada, brilha suavemente o teclado do piano, o metal da cama, o espelho oval na parede, acima da pia; brilha sobre a mesa o tinteiro de níquel entre papéis em desordem...

Delícia de estar sozinho na sombra tépida. Delícia de ficar sonhando, calado, vendo o cérebro pensar: sem interlocutor, sem atitudes, descuidoso, abandonado, livre... Delícia de sentir, de ver que a luz do luar vai aos poucos invadindo o quarto, cheia de todos os ruídos da noite nova, de todos os perfumes do jardim.

A janela enquadra um pedaço de céu violeta em que se veem os crivos miúdos das estrelas.

Amaro sorri. Feliz? Quase... Felicidade igual a serenidade.

Para à frente do espelho, olha a imagem apagada. Caminha para a janela. Uma brisa fresca lhe bafeja o rosto. Amaro contempla o casario da cidade, todo pontilhado de luzes. Mais longe, o rio. A lua vai subindo. Por trás do morro mais alto — mancha escura que barra o horizonte — há uma vaga claridade lactescente. Brilham luzes furtivas na encosta dos morros. Ele fica imaginando dramas, conflitos de almas que sofrem, segredos... Quem sabe? Uma luz perdida, ao longe, sugere tanta coisa...

Uma pontinha do disco da lua começa a aparecer. O rio cobre-se de lantejoulas de prata. Uma poeira luminosa coroa a crista do morro.

Da casa vizinha vem o som dum gramofone. Uma ideia...

E se eu tentasse terminar o meu noturno?

Volta-se devagar e aproxima-se do piano.

Lá embaixo, na sala de refeições, o relógio bate o seu quarto de hora Westminster. Amaro reproduz no piano, com um dedo só, a musiquinha familiar do relógio.

Vamos ao noturno.

Agora: oito badaladas lentas, longas, que ficam ecoando pela casa.
— Titia, posso ir até o jardim?
Há uma súplica ansiosa na voz de Clarissa. De outro compartimento, d. Eufrasina responde:
— Vá, mas volte logo pra estudar...
— Sim senhora...
— Não esqueça que os exames estão perto...
— Sim senhora...
— Não apanhe muito sereno...
— Sim senhora...
Clarissa desce ao jardim.
As flores na sombra parecem dormir. Por entre a relva grilos cricrilam. Um vento fresco e manso bole nos arbustos, agita os talos, as folhas e as corolas. Clarissa olha para o céu estrelado. Será este mesmo vento que faz tremer, que quase apaga o fogo das estrelas? Os poetas falam nas estrelas pequeninas. Pequeninas? Pois sim... Enormes, imensas, muito maiores que a Terra. Os livros explicam. As estrelas são mundos. A distância é que faz que elas pareçam pequenas. Naturalmente: tudo de longe fica menor por causa de uma lei que tem um nome que eu agora não me lembro. O Nestor, que é um rapaz alto, visto de longe, de muito longe, parece menor que o Tonico.
Clarissa senta-se no banco do jardim.
No portão, dois vultos se movem. Clarissa mal os divisa. (Também, não há no mundo rua tão mal iluminada como esta... Um combustor grita aqui, o outro responde lá longe, a duas léguas de distância...) Apesar de tudo, com um pequeno esforço, a gente pode enxergar. Quem está no portão é a Belmira. Conversa com o namorado. Ele é guarda-civil, está fardado de azul. Na sombra, a estrelinha de fogo do cigarro. Belmira está recostada ao muro. Cochicham. A mulata abafa uma risada. O namorado tira o cigarro da boca: a estrelinha lhe desce pelo peito, dança no ar, parece que vai se apagar, mas depois sobe ao rosto e de novo se aviva...
Que estarão conversando? Clarissa imagina mil coisas. Como deve ser curiosa uma conversa de namorados...
"Tu gostas de mim?"
"Ué? Que pergunta!"
"Por que é que às vezes tu passas sem me olhar?..."
"Credo! Eu olho sempre..."
"Mazinha!"

"A ideia!..."

Quanta bobagem se dizem os namorados! — pensa Clarissa. Ela já ouviu uma vez — não se lembra onde — um diálogo assim. — Por que será que na vida tudo é diferente dos romances? Nos romances há príncipes. Na vida não há. Nos romances há fadas. Na vida não há. Nos romances os animais falam. Na vida não falam. Os namorados dos romances são sempre bonitos. O mocinho é forte, de ombros largos, valente, e está sempre disposto a morrer pela sua amada. A mocinha tem cabelos de ouro, olhos azuis e vive num castelo muito, muito lindo, com aias, pajens... o diabo! (O diabo não, credo! Deus me perdoe!) Quando conversam, só dizem coisas bonitas. Clarissa até se lembra duma passagem de certo romance que leu há pouco tempo. Era uma noite de luar (clara e perfumada como a de hoje). O cavaleiro chegou debaixo do balcão da sua amada. Ela apareceu toda vestida de seda branca *cor do branco luar...* — como dizia no livro. Ele estendeu os braços e exclamou com *voz trêmula e sonora* (era bem assim que estava escrito):

Vida de minha vida!

Ela respondeu:

Amor meu, luz dos meus olhos!

Os teus olhos são dois lagos encantados onde o céu... onde o céu...

Clarissa franze a testa, alça a sobrancelha, inclina um pouco a cabeça e puxa pela memória...

Onde o céu... Onde o céu... quê? Diabo de memória! Mas não faz mal. Por causa de uma ou de duas palavras, a gente não vai ficar a vida inteira pensando. O fato é que os namorados de romances falam bonito. Na vida tudo é diferente. Gente feia, sem graça. Falam todos como a Belmira, como o guarda-civil. Pitam na frente da namorada. Não sabem dizer nem fazer coisas delicadas e agradáveis.

Ouve-se agora o som de um piano. Alguém está tocando uma música bonita, calma, triste até. Clarissa escuta...

É seu Amaro com as suas musiquinhas que ninguém entende...

A melodia do piano continua a encher a noite. Agora está mais fraca. Decerto Amaro mal passa pelas teclas os seus dedos de doente. De súbito, porém, parece que o pianista se entusiasma, porque a música se anima, as notas se ouvem mais nítidas e fortes... No entanto a impressão de tristeza continua. Algo de lento, arrastado, doloroso. Clarissa pensa no Tonico. Todas as coisas tristes a fazem pensar no Tonico. Se ela fosse Deus, dava uma perna sã para o filho da viúva, uma roupa nova para o seu Gamaliel, um noivo para Belinha, um emprego para o tio Couto e um pouco de alegria para seu Amaro. Só assim seu Amaro deixaria as suas músicas fúnebres, as suas músicas que a gente não compreende mas que dão vontade de chorar; só assim ele poderia tocar melodias alegres. Mas, infelizmente, ela é apenas a Clarissa Albuquerque. Uma menina do *sítio*, que veio estudar na capital e que mora na pensão da tia. Uma menina que não tem com quem conversar. Uma menina boba, como diz a titia. Uma menina que não tem licença de sair a passear, nem de ir ao cinema, nem de nada... Uma menina que nem pode ficar um minutinho se olhando no espelho... Espelho... espelho... esp...

De repente uma ideia relampagueia na mente:

Achei! Onde o céu... se mira como num espelho. Isso! *Os teus olhos são dois lagos encantados onde o céu se mira como num espelho!*

Clarissa sorri.

A música do piano cessou. O namorado de Belmira acende outro cigarro. Na rua passa um bando de meninas, em algazarra. São cinco. Gritam e falam alto. Uma delas vai cantando. Passam como um bando de passarinhos. Bem como um bando de gralhas.

E eu... aqui, sozinha...

O rosto de Clarissa está agora sombreado por uma expressão de melancolia.

A música do piano recomeça. A mesma cadência, a mesma tristeza.

D. Eufrasina assoma à porta:

— Clarissa!

— Senhora?

— Está na hora. Vem estudar!

Clarissa ergue-se. Começa a subir os degraus com lentidão. Vai pensando:

Mas isto acaba. Um dia chegam as férias. A fazenda... O primo Vasco... O negro Xexé, a Conca... Eu fico solta. Correr descalça pelo campo molhado, de manhã. Tomar banho no lajeado, ficar debaixo das cascatinhas, sumida num monte de espuma... Passear a cavalo pelo campo... Livre! Livre! Livre!

— Anda depressa, menina! Que preguiça é essa?

Com uma paisagem de verde no quadro da memória, Clarissa entra em casa.

No portão do jardim lucila ainda a estrelinha de fogo.

Amaro deixa o piano. As frases que compôs não o satisfazem. Não importa. Amanhã talvez lhe venha uma onda boa de inspiração. Amanhã...

Vai de novo até a janela. A lua já subiu. No pátio da casa vizinha o muro caiado, ainda mais branco sob o luar, projeta no chão uma sombra longa. O rio parece de mercúrio. Os montes, longe, dentro da noite clara, têm um tom irreal. No pátio dormem sombras misteriosas. O tanque de lavar roupa, transbordante d'água, prende em seu espelho líquido o disco da lua. E a lua treme e se parte em cacos na água que a brisa encrespa.

Amaro contempla a noite longamente.

E fica ouvindo, deliciado, uma música suavíssima que ele não sabe se vem de dentro dele próprio ou se desce da Lua...

Positivamente, quem tem razão é o contador do banco: "O senhor é um lunático!".

Clarissa olha para o relógio. Os ponteiros se arrastam com lentidão. O pequeno está em cima do 9, o grande caminha para o 6.

Em cima da mesa, sob os olhos, Clarissa tem livros e cadernos abertos.

O Barata e a mulher entram na sala. Acabam de chegar da primeira sessão dum cinema. Ele — muito gordo, o ventre roliço e saliente, e as perninhas curtas — vem resmungando com ar zangado. Clarissa mal pode conter um sorriso. Aperta os lábios, abaixa a cabeça, finge que está absorvida no estudo. Porque, ao ver o caixeiro-viajante, teve uma ideia engraçada. O marido da d. Ondina lhe deu a impressão perfeita desses bonecos roliços de celuloide que têm um peso nos pés e que não tombam nunca: a gente bate neles, eles se inclinam, tocam o chão com a cabeça, mas logo se aprumam de novo.

D. Eufrasina, que está fazendo crochê perto da mesa, repreende, a meia-voz:

— Clarissa... Ai, ai, ai!

Muito enfeitada, recendente de perfume, pintada como uma boneca, Ondina solta um suspiro.

D. Eufrasina pergunta:

— Gostaram da fita?

Clarissa levanta os olhos, curiosa. O Barata faz um muxoxo:

— Assim-assim...

Ondina, escandalizada, explode:

— Oh, homem! Que sujeito enjoado, não gosta de nada.

Depois, com uma expressão de gozo no rosto, volta-se para a dona da casa:

— Gary Cooper... um amor, dona Zina. Um amor!

Barata faz um gesto vago. Tem os olhinhos murchos, cheios de sono e tédio. Escancara a boca, num bocejo. Ondina sobe os degraus, com passo lento. Barata segue-a, silencioso e dócil, como um paquiderme amestrado. No alto da escada, Ondina volta-se:

— Um amor, dona Zina, um amor!

Somem-se.

Ouve-se, longe, o rosnar abafado e azedo do Barata. Um rumor leve de passos. Depois, o ruído seco duma porta que se fecha.

D. Eufrasina ordena:

— Não perca tempo, menina. Estude.

Clarissa baixa os olhos:

Geografia. Matéria cacete. Decorar, decorar, decorar... E uma noite tão bonita lá fora!

O maciço montanhoso do leste é formado de terras antiquíssimas que os agentes naturais têm nivelado ao estado de planaltos.

Clarissa lê e relê o período. Fecha o livro e os olhos e procura repetir de cor o trecho lido. Os seus lábios se agitam levemente, as palavras lhe saem da boca num sussurro:

O maciço montanhoso do leste...

Detém-se. E depois? Abre o livro:

O maciço montanhoso do leste é formado de terras antiquíssimas... Ah! agora sim. *O maciço montanhoso do leste é formado de terras antiquíssimas...* Mas por que antiquíssimas e não antiguíssimas? *que os agentes naturais...* Mas que agentes naturais são esses? Eu conheço o agente do correio de Jacarecanga, que é o seu Moreira. Agentes naturais... Que é isso? A gente nem entende nada, como é que vai aprender? ... *que os agentes naturais têm nivelado...* se eu soubesse o que é nivelado era muito bom, mas não sei... *e reduzido ao estado de planaltos...* estado de planaltos? Estado... estado do Rio Grande do Sul... estado do Sergipe... estado lastimável, como diz o tio Couto...

O relógio bate nove e meia. Clarissa ergue a cabeça. Por que será que os ponteiros não correm mais ligeiro?

D. Eufrasina vai até a janela que dá para o pátio. Na sombra que a casa projeta no chão, recorta-se um retângulo luminoso.

— O judeu está de luz acesa, estudando. Bem podia me pagar mais um pouquinho pela luz. É o que gasta mais de todos. Fica acordado até de madrugada.

Ouve-se outra vez a música do piano de Amaro, numa surdina. Parece dessas cantigas que as mães cantam para embalar o sono dos filhos.

Clarissa lê num cicio:

O Rio da Prata é um vasto estuário formado pelos rios Paraná e Uruguai, desde a sua confluência até que desembocam no Atlântico, onde têm duzentos quilômetros de largura.

O Rio da Prata. Prata... Luz cor de prata, como nas poesias. Hoje a luz é cor de prata. Vasto estuário. Estuário. Vestuário...

Boceja. Os olhos lhe vão pesando.

Desde a sua confluência... Confluência... Influência... Influência espanhola... No tempo da influência espanhola... No tempo da influência espanhola, papai quase morreu... Morreu... Meu boi morreu...

Desembocam no Atlântico...

As letras do livro começam a tremer, a dançar. A música que vem do quarto de Amaro é suave e embaladora. Parece uma canção de berço, uma canção para fazer dormir. Dormir... Afundar no sono... Sono... A cama... Lá fora decerto ainda brilha a estrelinha de fogo, junto ao portão... E o vento é frio e perfumado... E as meninas passam num bando alegre... A música vai embalando... A sombra da tia Zina se desenha na parede... A sombra da parede também agita as mãos, faz crochê... Tão suave, tão boa a música que convida ao sono, a música que decerto o vento leva, o vento que quase apaga com seu sopro fresco a luz das estrelinhas... Mamãe faz a cama... A lamparina arde em cima da cômoda... As corujas piam lá fora nos ocos de pau... Ninguém sai para o campo com medo do Boitatá... Clarissa vai dormir... Sente na cabeça a mão macia da mamãe... Macia... Macia... Mamãe canta... Uma música assim: boa, fraca, boa, para fazer o nenê dormir...

Bicho-Tutu,
Não venha mais cá
Que o pai do menino
Te manda matá...

Tudo vai ficando escuro, dormente, esquecido: a estrelinha de fogo, a geografia, a sombra que faz crochê na parede, a música do piano, a cantiga de mamãe...

Clarissa adormece com a cabeça abandonada entre os braços.

8

O sol da manhã põe reflexos móveis na água do tanque, irisa a espuma do sabão, dá ainda mais alvura aos panos brancos.

D. Zina lava a roupa branca.

Os galos cantam nos quintais vizinhos. Os pessegueiros, as ameixas, a relva dos canteiros estão ainda úmidos do sereno da noite.

Na janela da casa contígua, d. Tatá aparece. É uma mulher de rosto emaciado, onde não há o mais leve lustro.

D. Zina levanta a cabeça:

— Bom dia, vizinha!

— Bom dia!

— Já acordada, a esta hora?

D. Tatá suspira. Que vai fazer? Tem de esperar o leiteiro e o padeiro. Não tem criada. O leite é para o Tonico, coitadinho. O menino não há jeito de engordar.

— Como vai ele, vizinha?

— Ora, como sempre. Fraquinho, sem cor. É a minha cruz, o meu martírio!

— E as costuras?

— Escassas. A mulher do doutor Milton devolveu o vestido. Não gostou. Porque ele tem isto, tem aquilo. Agora eu é que vou aguentar com o prejuízo. Um martírio!

D. Zina sacode a cabeça, penalizada.

Faz-se um silêncio curto. Dentro da pensão começam os ruídos matinais. Nestor canta no banheiro. Ouvem-se as gargalhadas sonoras do major. Na cozinha, a negra Andreza principia a acender o fogo: a lenha crepita, a fumaça foge pela janela.

— Já alugou o quarto lá de cima, vizinha?

D. Eufrasina faz um gesto vago:

— Qual! Não aparece ninguém. Felizmente os outros todos estão ocupados...

— O russo já pagou?

— Jacaré pagou?

D. Zina bota as mãos na cintura e, com uma careta humorística, conclui:

— ... nem ele...

D. Tatá aconselha:

— Não se descuide, vizinha, olhe que esses russos são o diabo. Podendo lograr a gente, logram. É só haver jeito. Pois a mulher do Samuel da prestação levou quase um ano pra me pagar um vestidinho de cinquenta mil-réis...

— Que horror! E o Samuel anda bem de negócios. Imagine só, se andasse mal...

No alpendre o papagaio palra. Em cima do muro caminha Micefufe, o pelo fulvo incendiado de sol.

— E a Clarissa?

— Vai bem...

— Está ficando uma moça...

— É. Mês que vem faz quatorze...

— Desenvolvida...

— Muito...

Encurvada sobre a tábua, d. Zina esfrega o sabão na roupa.

D. Tatá suspira. Outro silêncio breve. Agora a mãe de Tonico comenta, sutil:

— Isso bem que é uma responsabilidade pra senhora... Ter uma mocinha em casa, no meio de tanta gente...

D. Zina detém-se por um instante. Alisa o cabelo com as costas das mãos. Depois:

— Felizmente todos respeitam muito ela. O major é um velho. O Barata, um homem casado. O judeu, esse só vive pros livros. O Zezinho quase não para em casa, além de tudo parece que tem medo de moça. O Nestor é meio levado mas eu já avisei: nada de confianças com a menina, nada de brinquedos, de coisinhas, de agarramentos. Muito respeito!

— E o músico?

— O seu Amaro? Coitado, uma boa alma! Não incomoda ninguém. Vai pro banco, volta do banco. Pede banho, vai pro quarto. Vive lendo e tocando piano. Mal fala com a gente... Boa alma.

— E paga?

— Nunca faltou. É ali, no fim do mês. Pontual.

— Que moço esquisito! Tão misterioso. Olhe, vizinha, que ali tem coisa... Quem vive muito fechado, muito retirado, sempre tem um vício feio na vida... Não é bom confiar muito...

— Qual! O seu Amaro?

E d. Zina sorri com simpatia. A outra volta ao ataque:

— Mas a senhora veja, vizinha, isso não é natural... Nem tão velho ele é. E lhe digo mais: nem o major, que tem sessenta anos, vive assim retraído... Nem o major...

— Dona Tatá, que foi que o seu Amaro lhe fez?...

A cara da viúva assume uma expressão de surpresa:

— Que foi que ele me fez? Nada! Até gosto muito dele. Um moço muito delicado. Ele sempre faz agrados ao meu filho. Até foi ele (fiquei admirada!) quem deu os soldadinhos de chumbo pró Tonico...

— Pobrezinho...

— Do seu Amaro ou do Tonico?

— Ora, do Tonico, naturalmente, vizinha...

— Imagine só que vida, comadre, que vida! Ali em cima daquela cadeira, todo o santo dia, sem poder levantar, sem poder ir brincar com os outros meninos da idade dele...

— É triste...

— E depois, dona Zina, o Tonico tem essa mania de gostar de coisas de militança, de soldados, de guerra. A semana passada tive de mandar fazer uma espada pra ele, ali na carpintaria do seu Florisbaldo...

— Uma mania como qualquer outra... O Couto sempre diz que tinha vocação era pra vida militar...

D. Tatá estica mais o pescoço:

— Por falar nisso, o seu Couto já conseguiu colocação?

D. Zina senta-se à beira do tanque, e solta um profundo suspiro.

— O Couto há seis meses que vive de promessas. Até hoje não arranjou nada. Agora na Secretaria...

De súbito um grito corta o ar da manhã. Agudo, prolongado, doloroso:

— Tatá! Tatá!

É o menino doente. Uma sombra escurece o rosto da viúva. Sem palavra, ela volta para dentro da casa e se some.

— Titia! Titia!

Corada, olhos luzindo de alegria, Clarissa agita no ar um papel. Desce correndo as escadas.

— Carta! Carta da mamãe!

D. Eufrasina enxuga as mãos no avental.

Clarissa está ofegante. O contentamento ilumina-lhe o rosto. Sofregamente rasga o envelope azul e de dentro dele tira uma folha de papel quadriculado.

Tão engraçadas as cartas da mamãe... Sempre no mesmo papelzinho de xadrez, com a mesma letrinha redonda, tinta roxa...

As cabeças quase encostadas, Clarissa e a tia leem:

Querida filha:

Estimo que estas poucas e mal trassadas linhas va-te encontrar em goso de perfeita saude, nós vamos indo graças a Deus teu pai é que anda aborrecido por causa dos negossios mas não ha de ser nada si Deus quizer e Maria Santissima. Clarissa vou-te mandar um lenço de ceda azul e incarnado disque agora estão usando muinto não vás apanhar algum frio minha filha estás ficando mossa é perigoso e deves ter muinto cuidado com os bondes e autos e que cidade grande é o diabo. Quando o seu Fedencio Fagundes for aí levar a mulher que vai fazer operação de pendicite eu te mando por ele a pecegada para ti comer e dá um pedasso para a tua tia Eufrasina, tão boa comtigo a coitada e tu podes botar sapato de salto alto quando fazeres quatorze anos si Deus quizer e a Virgem, ando muinto aborrecida os negossios anda ruim teu pai não achou comprador para o gado o seu Antunes prometeu comprar mas depois desestiu o semvergonha e tu não vai muinto a sinema que eu não gosto dessas mistura com gente de cidade grande. Dá um abraço na Eufrasina e no Couto e aceite mil beijos da tua mãe e de teu pai.

Clarissa lê, relê. Brotam-lhe lágrimas nos olhos, lágrimas que ficam fulgindo como vidrilhos na luz da manhã.

Em cima do muro, Micefufe encolhe-se todo, arrepiado; ronrona e de súbito, num pincho violento, se atira em cima dum franguinho branco que está bicando calmamente o chão. Guinchos, pios, tatalar desordenado de asas. O pânico se estende por todo o pátio. E o gato amarelo — pelo rebrilhante de sol — parece um demônio de fogo, no meio da bicharia alarmada.

— Gato bandido! — vocifera d. Eufrasina.

9

Todos têm um segredo, todos têm um mistério — pensa Clarissa, passeando o olhar pelo refeitório.

Hora de jantar. As luzes ainda não foram acesas.

Um resto de sol bate, alaranjado, nas vidraças. Através das janelas, vê-se o céu, que vai aos poucos tomando uma cor de opala.

Todos estão sentados às suas mesas. O Barata, curvado sobre o prato, sorve a sopa ruidosamente. Solitário na sua mesinha de canto, Amaro parece ausente, olhos postos ninguém sabe onde, mãos pousadas sobre a toalha branca. Levinsky e Nestor estão atracados numa discussão. A cabeleira ruiva do judeu se agita como uma labareda. Nestor gesticula, dá murros no ar, empunhando uma faca, com ar agressivo.

— Bem faz o Hitler, que está botando os judeus para fora da Alemanha!

Maurício Levinsky, muito vermelho, espeta o garfo com fúria numa batata cozida.

— Graças aos israelitas a Alemanha é hoje em dia uma grande potência.

Nestor faz gesto de desprezo:

— Ouvi dizer que foram vocês que provocaram a guerra! Pura ganância.

Com a boca cheia, numa voz quase sumida, o outro rebate:

— Isso é uma mentira!

Tio Couto, o palito no canto da boca, ar feliz de quem comeu a fartar, comenta:

— Precisamos endireitar é o nosso país, seu Nestor. Deixemos o dos outros.

O major Pombo derrama no copo uma colherada de sal de frutas, com uma careta pessimista.

— Qual! Com esses nossos políticos não se arranja nada...

A água do copo ferve, uma espuma branca sobe, rápida, e transborda.

D. Glória fala do seu eterno reumatismo. Tia Zina queixa-se da alta dos gêneros:

— O açúcar subiu, a banha subiu, não sei onde vamos parar...

— São consequências dos desgovernos, frutos dum país onde não se trabalha... — interrompe-a o marido.

Nestor volta a cabeça e com um sorriso malicioso pergunta:

— Por falar em trabalho, tio Couto, quando é que o senhor começa?

O rosto do marido de d. Zina assume uma expressão grave. E é com voz dura que ele responde, dedo indicador no ar:

— Olhe, moço, eu já estou com quase cinquenta anos: não admito ironias. Fique sabendo que trabalho desde os quinze. Você nem era nascido, e eu já trabalhava! Há seis meses que estou sem emprego, é verdade, mas não é por gosto. Uma coisa que pode acontecer a qualquer um...

— Mas o senhor se zangou, tio Couto? Ora, eu não tive intenção...

O dono da casa dobra calmamente o guardanapo.

— Eu não me zanguei — diz. — Mas há certas coisas que não caem bem, j'ouviu? Há coisinhas, palavrinhas, sorrisinhos que ferem, que irritam, que fazem mal, j'ouviu? É bom não repetir a brincadeira!

A sua voz se vai animando aos poucos. Por fim quase grita:

— É bom não repetir a brincadeira, j'ouviu, seu Nestor?

Ergue-se de repente. Nestor está desconcertado, tio Couto começa a caminhar dum lado para outro, a cara fechada.

— Vamos, vamos! Não briguem, rapazes, não há razão para isso! — intervém o major.

No seu canto, Zezinho, palidíssimo, arregala os olhos. Belinha tem a mão sobre o seio ofegante. Amaro continua ausente, olhos postos, ainda, ninguém sabe onde.

Clarissa mal pode respirar. Tio Couto vai brigar? Oh! Por que é que o Nestor fala assim? Devia ter mais respeito. Finalmente é um guri perto do titio...

Nestor ergue-se de mansinho:

— Com licença — diz.

Caminha, sem mais palavra, para a escada e sobe os degraus. Seus passos soam lá em cima, no corredor; depois se apagam.

D. Zina sacode a cabeça:

— Couto, Couto, você sempre genioso. O menino não diz essas coisas por mal.

— Está claro — intromete-se o major —, está claro que não é por mal. Brincadeiras de rapaz.

Palitando os dentes, Gamaliel aplica ao caso seus conhecimentos bíblicos:

— Como dizem os Provérbios: "Aquele que guarda a sua boca e a sua língua, guarda a sua alma de grandes apertos".

Tio Couto, a fisionomia ainda carrancuda, faz gestos desordenados:

— Não mexam comigo. Sou muito bom, muito delicado, tal e coisa, mas não me toquem na dignidade. Não admito. Não a-di-mi-to!

O major se espreguiça na cadeira, trocista.

— Qual! Qual! Qual!

Tio Couto prossegue:

— Meu gênio é terrível. É de raça. Tenho cinco generais na família. Minha gente tem tomado parte em todas as revoluções do Rio Grande.

O major:

— Se é por isso, eu também tenho generais na família... E muitos.

— Sou neto de farroupilhas. Já na Guerra do Paraguai, o coronel Couto, que vem a ser meu avô por parte de mãe...

E tio Couto conta uma história que toda a gente já está cansada de ouvir. Clarissa a sabe de cor, melhor do que os pontos de história do colégio. O cel. Couto, vendo que os seus soldados hesitam em atacar uma ponte, esporeia o matungo, levanta a espada no ar e berra com a sua voz máscula: "Quem for brasileiro que me siga!". Foi um entrevero dos diabos. Com o heroico coronel à frente, as forças tomaram a ponte, onde pouco depois tremulou o *auriverde pendão da minha terra, que a brisa do Brasil beija e balança...*

Tio Couto conta a história sempre da mesma maneira, com os mesmos gestos, as mesmas palavras, o mesmo tom de voz. Até as onomatopeias são as mesmas. Para imitar o estrépito das patas dos cavalos: procotó — procotó — procotó! Para dar uma ideia do combate: tei! Tei! Pum! Lept! Lept! Tei! Pum! Tei!

— Minha gente é de cabelo na venta — afirma tio Couto rematando a história.

Tia Zina levanta-se e vai acender as luzes. Os cabelos gateados da Belinha, a juba ruiva do judeu, os cristais, as louças, os talheres — tudo refulge na luz.

Belinha, com voz langue e ar romântico, pergunta:

— Dona Ondina, a senhora vai hoje ao cinema?

— Se o Barata quiser...

Barata resmunga qualquer coisa que tanto pode ser "sim" como "não".

O judeu e Gamaliel começam a discutir.

— Cristo não era o verdadeiro Messias — afirma Levinsky.

— Cristo é o único e verdadeiro Messias! — contradiz o prático de farmácia.

Ondina agora está discorrendo sobre matéria de sua competência:

— Não gosto daquela cara da Mirna Loy. Agora, a Sidney Fox, sim, é um encantinho...

— Pois eu — afirma Belinha — prefiro a Gloria Swanson a todas as outras. Ainda não apareceu outra como ela.

— Passadismo.

Entre o protestante e o israelita a discussão se acirra. Citam-se o Velho e o Novo Testamento.

Tio Couto, sereno, senta-se na frente do major e começam a falar em política.

— Quando foi da propaganda republicana... — começa o velho Pombo.

Clarissa, muito tesa na sua cadeira, está atenta a todos os rumores. Lá fora deve ser noite. Luzem combustores e estrelas. O vento traz para a sala o perfume de todas as flores do jardim. Os olhos de Clarissa dançam dum lado para outro.

O refeitório está agitado. Belinha e Ondina continuam a falar de cinema, modas, revistas. O major e tio Couto censuram os políticos, traçam novos programas de governo. O judeu e o farmacêutico, entusiasmados ambos, gesticulam, contradizem-se, citam... Tia Zina e d. Glória falam de doenças, da crise, de pontos de crochê e da vida. Amaro, sempre longe, brinca com uma bolinha de miolo de pão, num silêncio de sonâmbulo.

Vozes diferentes que se cruzam e chocam no ar macio — vozes mansas, estridentes, sumidas, engasgadas, guturais, de mistura com o ruído de cadeiras que se arrastam, cristais e metais que retinem, tosses, pigarros. O judeu fuma. E a sua vozinha estrídula lhe sai da boca de mistura com as baforadas de fumaça que sobem ao teto, em espirais dum cinzento azulado. O major pita um crioulo. Tio Couto pica fumo com um canivete, a palha atrás da orelha.

Clarissa está encantada no meio de todo esse movimento, de toda essa balbúrdia. Estranha as fisionomias. Expressão de felicidade, de ódio, de aborrecimento, de serenidade, de indiferença, de ternura, de inveja. Caras que parecem máscaras que as pessoas mudam a cada instante.

Mal pode acompanhar as discussões, pois as palavras, as frases, as interjeições, os gestos se misturam, se fundem e confundem. Ah! Mas é uma confusão colorida de feira!

"Regenerar a repú... a vida... expulsos da Palestina... políticos profissionais... não admito! vestido de seda azul... cinema... corrompidos... insulto à crença cristã... que diz?... revolução... ordem... crise... rins... Greta Garbo... são Pedro negou três vezes... tomar chá de pata-de-vaca... guerra com o estrangeiro... a dona Tatá melhorou?... bem-aventurados os pobres de espírito... j'ouviu?"

Clarissa sorri... Como a vida é engraçada!

Barata, repoltreado na cadeira, colete desabotoado, está numa modorra de jiboia enfartada. Tio Couto e o major soltam para o teto pesadas baforadas de fumo. No meio da leve cerração azulada que flutua no ar, a cabeleira do judeu é uma nota viva e fúlgida.

Mas que mistério haverá na vida de Amaro? Sempre calado, ausente, abstrato, tristonho... Qual será o segredo de Belinha? Quem será o seu amor? Quem teria sido o marido da dona Glória? Um general? Um dentista? Um alfaiate? Por que será que o major nunca se casou? Hoje poderia ter filhos e netinhos que lhe viessem pedir a bênção antes de dormir...

E Gamaliel com a sua roupa lustrosa, o seu narigão fino e comprido, a sua Bíblia de capa surrada, o seu cheiro de farmácia — que esquisito é também o Gamaliel! O judeu, nem é bom pensar... Com a sua juba de leão, os dentes escuros, a pele vermelha e sardenta, encurvadinho, olhos iguais aos do Micefufe, brigão, discutidor... E Nestor? Barulhento, cínico, intrometido. Quanta coisa ela sabe do Nestor! Como ele gosta de olhar para a Belmira, de dizer-lhe gracejos, piscar-lhe o olho...

Oh! Todas as pessoas têm o seu mistério — pensa Clarissa. — Como a vida é boa, como a vida é divertida!

Uma vontade formigante de conhecer todos os segredos e todos os mistérios a empolga.

— Titia, posso sair? — pergunta.

D. Zina faz com a cabeça um sinal afirmativo.

Clarissa desce para o jardim.

É preciso respirar, tomar ar, esquecer por um instante o tumulto. Porque ela tem vontade às vezes de abraçar toda a gente, de ser boa para com todos — até para com o judeu sardento, até para com o gordo Barata. Um desejo de falar com todos, de perguntar coisas, muitas, muitas coisas, de fazer que os outros lhe contem, sem omitir um pontinho, todo o mistério da vida, todos os segredos das criaturas.

No jardim há zonas de luar e de sombra. Belmira e o namorado conversam ao portão. A estrelinha de fogo do cigarro do guarda-civil já está acesa de novo. Passa gente pela rua. Dois homens param na calçada sob o combustor aceso e conversam animadamente, gesticulam, falam ao mesmo tempo, exaltados. Depois se vão, num passo indeciso e tardo. Um automóvel passa, veloz, numa corrida macia e silenciosa. Do outro lado da rua, dentro do retângulo luminoso duma janela, recorta-se uma silhueta de mulher. Embaixo, na calçada, junto da parede, o vulto dum homem se aquieta. Namorados. Ela é a Corina, filha dum funcionário da alfândega. Ele, empregado da chefatura de polícia. Um namoro já de dois anos. Dona Tatá já falou: "Isto não sai". Tia Zina garantiu: "Filha minha não faz namoro de janela. Zás-trás, o rapaz entra e logo trata o casamento...".

Clarissa senta-se nos degraus da escada e olha para o céu. Uma estrela risca o azul profundo.

Meu Deus, eu quero uns sapatos de salto alto, quero sair aprovada nos exames e quero... quero um namorado...

E uma onda de sangue lhe aflora às faces.

10

Clarissa bate palmas.

— Dá licença, dona Tatá?

Do fundo da sala escura vem uma voz cansada:

— Entre, minha filha.

Clarissa entra devagar. A casa de d. Tatá cheira a hospital. É sombria, tem poucos móveis, e um soalho que ameaça afundar. Às vezes um rato passa correndo, furtivo, beirando as paredes: e some-se, rápido, num buraco insuspeitado. A casa de d. Tatá é triste e dá um aperto no coração da gente.

D. Tatá está curvada sobre a máquina de coser.

— Venho ver o Tonico...

No rosto amarelento se esboça um sorriso. Os olhos murchos se animam.

D. Tatá faz um gesto amigo:

— Você é muito boazinha, Clarissa. O Tonico fica muito contente quando você vem.

Clarissa está triste e apreensiva. Parece que de todos os cantos vão surgir fantasmas. O soalho range sob seus pés. Nas paredes caiadas a umidade desenha longas figuras fantásticas.

— O Tonico está lá fora...

Clarissa desce ao pátio. Duas camisas de chita listrada pendem duma corda e se balouçam ao vento, abandonadamente.

A sombra da casa se projeta no chão e vai aos poucos devorando a luz do sol.

Tonico está na sua cadeira de rodas.

— Tonico, estou aqui...

O menino doente volta a cabeça devagar. Seus olhos baços fitam Clarissa.

— Por que é que tu veio? Eu não te quero... Enjoada!

Choraminga. No seu rosto de cera há uma expressão de aborrecimento.

— Oh, Tonico! Mas eu não venho te incomodar...

— Vai-te embora, eu não te quero!

O coração de Clarissa começa a bater com mais pressa. Ela sofre, está perturbada, os olhos úmidos de lágrimas. Agora enxerga a paisagem através de um véu líquido. Tudo está esfumado e trêmulo. Os soldadinhos de Tonico se estendem numa fila sobre os braços da cadeira: o vento os vai fazendo cair um a um. O menino doente cortou as pernas a todos os seus guerreiros, menos ao oficial de dólmã vermelho, que tem a espada levantada, na atitude de quem comanda um assalto.

— Tonico — faz Clarissa com voz sentida —, eu vim pra te contar histórias...

— Não quero, vai-te embora...

— Histórias bonitas...

— Não quero, não quero, não quero!

— Olha, Tonico, era uma vez uma mulher que ganhou um filhinho tão pequeno, tão pequeninho que cabia dentro dum chinelo. Pois um dia ela estava tirando leite da vaca e o guri se sumiu. Tu sabes onde ele estava escondido?

Tonico agora escuta, sem poder mais ocultar seu interesse. Mas de súbito uma ruga de contrariedade lhe vinca a testa.

— Estava na barriga da vaca. Ora! Essa história é feia. Eu já conheço... Não quero, não quero!

— Escuta, Tonico, pois diz que era uma vez um gigante muito mau que comia as crianças e morava num palácio enorme em cima da montanha. Perto desse palácio, numa casinha de tábua, morava um lenhador...

— Não gosto dessa, não quero, não quero...

— Então não gostas mais de histórias?...

Os lábios descorados de Tonico se encrespam numa expressão de desdém.

Clarissa aproxima-se mais do vizinho. Leva de mansinho a mão à cabeça do pequeno mutilado, acaricia-lhe os cabelos duros, sorrindo com os lábios e os olhos.

— Tonico, seja bonzinho, eu vou contar uma história... uma história bonita como tu nunca ouviste... uma história de... de...

Tonico põe-se a bater freneticamente nos braços da cadeira. Os últimos soldados tombam, rolam para o chão.

— De guerra! De guerra! De tiro! De soldado!

Sim... Clarissa concorda. Vai contar uma história de guerra. Começa. Era uma vez um soldado muito valente... muito valente... Esse soldado, um dia...

Cala-se de repente. Nunca leu histórias de guerra. Nunca ouviu casos de combates. Como é que pode agora inventar um? Há muito tempo, no cinema, viu uma guerra, muito grande, com aeroplanos, metralhadoras, granadas. Mas a história é tão comprida... Uma ideia de súbito lhe vem à mente: a história do tio Couto. Sim, a história da ponte, da Guerra do Paraguai.

Anima-se, sorri, e conta a história do cel. Couto. Quem for brasileiro que me siga! Procotó — procotó — procotó! Tei — pum — pum! Para fantasiar, para dar mais encanto ao combate, Clarissa mete nele um aeroplano que vem roncando e semeando bombas, bombas que estouram — pum! bum! pum! bum! —, metralhadoras matraqueando: tá-tá-tá-tá-tá.

Tonico se remexe, desinquieto, seus olhos brilham por um instante, os lábios se lhe contraem, deixando ver os dentinhos agudos e amarelentos. E o menino doente acompanha Clarissa na onomatopeia do combate:

— Pum! pum! Tá-tá-tá-tá!

Quase salta na cadeira, contorce os braços, infla as narinas, dá punhadas no ar, soltando gritos frenéticos.

A história acaba. As forças brasileiras tomaram a ponte. Agora Clarissa e Tonico tocam a marcha da vitória. Levando a mão fechada à boca, à guisa de corneta, sopram hinos e canções de guerra.

A alegria ilumina por um momento o rosto de Tonico. Contagiada pelo entusiasmo do amigo, Clarissa pega dum cabo de vassoura que está no chão, põe-no ao ombro e começa a marchar pelo pátio. Tonico marca a cadência.

— Tã-rataplã! Tã-rataplã!

Clarissa marcha. O entusiasmo do menino aumenta.

De súbito, num desespero, Tonico começa a gritar:

— Eu também quero marchar! Eu também quero marchar!

Clarissa dá uma volta em torno do pátio. Sem se deter, faz sinais com a mão.

— Não, Tonico, tu és o general, tens de ficar sentado...

Mas Tonico não lhe dá ouvidos. Transfigurado, faz um grande esforço, que lhe contrai o rosto; ergue-se na cadeira, estica a perna, procurando descer. O corpo todo lhe treme.

— Eu quero marchar!

O corpinho magro perde o equilíbrio. Tonico cai ao chão com um grito. Clarissa corre para o companheiro.

O menino mutilado está deitado de borco, a cara magra colada à terra, os braços estendidos, o corpo sacudido por soluços profundos, longos, convulsivos.

D. Tatá aparece à porta.

— Meu Deus! Meu filho!

Clarissa sente uma angústia mortal.

— Meu filhinho. Que foi, meu filhinho?

A viúva toma o filho ao colo, beija-lhe a testa, acaricia-lhe a cabeça.

— Dona Tatá... — balbucia Clarissa — eu... eu...

Os olhos da mãe de Tonico fuzilam.

— Não precisa se desculpar...

— Mas, dona Tatá... eu não tenho culpa...

— Quem tem culpa decerto sou eu, que estava em cima da máquina trabalhando feito uma escrava.

Tonico soluça baixinho. As lágrimas escorrem-lhe pelo rosto e pingam na camisa de xadrez.

Clarissa, a cabeça baixa, leva a mão aos olhos, onde as lágrimas lhe brotam, grossas e abundantes.

Os olhos de d. Tatá, fitos nas pernas carnudas e roliças de Clarissa, têm uma fixidez e uma expressão de rancor que assustam.

Silenciosa e trêmula, Clarissa se afasta. Vai com um peso insuportável no coração. Dentro da casa da viúva agora a escuridão é maior. Os ratos se esgueiram pelos cantos, na sombra. O mesmo cheiro de hospital, de doença, de miséria. Gelada de susto, Clarissa atravessa o corredor e ganha a rua.

Mais alguns passos e está no jardim da casa.

Respira, mais desoprimida, olha com ternura para as margaridas cor de ouro, para os cravos, para os malmequeres, para as rosas e as glicínias. Parece que todas as flores se preparam para dormir.

Dentro da casa brilham luzes. Passam vultos negros no recorte da janela.

Do outro lado, na casa rica, vem o som do rádio. Uma música saltitante. Todas as janelas estão iluminadas. No terraço brincam as crianças. Fazem roda. Cantam:

A canoa virou
Pois deixaram ela virá...
Foi por causa da Luzia
Que não soube remá!

Quatro crianças. Todas gordas, coradas, fortes, todas sãs. Dentro da casa rica não há sombras, nem ratos furtivos, nem cheiro de hospital, nem uma mulher pálida que trabalha curvada sobre a máquina de coser... No pátio da casa rica não mora um menino mutilado que tem vontade de marchar.

Clarissa olha para o céu e pensa:

Meu Deus, eu não compreendo!

II

Primeiro tudo está confuso. Um campo enorme a perder de vista. Será a estância do papai? É. Mamãe está no alpendre, costurando. Papai passa a cavalo. Clarissa quer chamar:

"Papai!"

Abre a boca, move os lábios, mas a palavra não soa... Que aflição! Além, do outro lado da coxilha (ela sabe, ela adivinha), um bandido o está esperando, com uma faca na mão...

"Papai! Não vai! Não vai!"

Outra vez os lábios se agitam inutilmente. No alpendre já não é mais mamãe quem está costurando, mas sim a tia Eufrasina, que faz crochê. E a casa da fazenda já é agora a parede da sala de jantar da pensão onde a sombra da tia Eufrasina faz crochê... Lá em cima, o seu Amaro bate no piano, bate no piano, como um louco... D. Tatá passa de preto, arrastando a cadeira do Tonico. E Tonico grita, pula e faz caretas. Agora tem três pernas.

"Clarissa, ganhei duas pernas novas! Duas pernas!"

Clarissa quer falar mas não consegue. Tonico parece um bicho. D. Tatá se some. E o seu Amaro está estrangulando o papagaio. Que aflição ficar assim, muda, parada, vendo tudo: o bandido emboscado, papai que vai para a morte, Tonico que cai da cadeira, e tia Eufrasina que se põe a berrar:

"Levanta, Tonico! Levanta!"

Que voz... Parece que vem do outro mundo. Que voz! Oh! Como tudo está confuso... Já não se move mais a sombra na parede. E que claridade é esta que vem nascendo, nascendo devagar? E ainda a voz: "Levanta! Levanta!"

Aflição. Não poder falar... Não poder erguer os braços... E tudo vai clareando. Clarissa abre os olhos, sem compreender. Tia Eufrasina, mãos na cintura, sacode a cabeça:

— Levanta, menina, está aprendendo a ficar dorminhoca como o vagabundo do teu tio?

Tonta de sono, Clarissa senta na cama e fica olhando para a tia, fixamente, os olhos agora muito abertos.

— Titia — diz —, que horror! Tive um sonho ruim, tão aflitivo...

Por que será — pensa Clarissa — que a gente às vezes amanhece assim triste, olhos pesados, uma vontade inexplicável de chorar, de abraçar alguém que nos possa passar a mão de leve pelos cabelos?

Hoje é feriado. Não há aula. Apesar da folga, Clarissa não acha graça no dia. Tudo está tão diferente...

À hora do café, o Nestor — bobo! — só conta proezas. No *water polo* é o melhor jogador. Ninguém sabe nadar como ele. Fala, fala, fala... Parece o papagaio. Agora está deixando crescer um bigodinho. "Bigodinho de cinema" — como diz a dona Ondina. Decerto quer ficar parecido com o Ronald Colman. Mas é bem como diz a Belmira: "Não tem pra ele!". Enquanto fala, Nestor de quando em quando enviesa o olhar para o espelho da cristaleira. Decerto se acha uma beleza. Conserta de dois em dois minutos o nó da gravata, passa dois dedos úmidos no friso da calça de flanela creme, alisa o cabelo com as palmas das mãos... Bobo!

Clarissa desvia os olhos, aborrecida. Ali na outra mesa, muito pálido, Zezé toma o seu chá com torradas. Outro sem graça. A tia Eufrasina é que diz bem (às escondidas, naturalmente): "Um maricas! Um maricas!".

É escusado: quando a gente amanhece indisposta, nada presta, nada tem graça...

Mandarim grita:

— Clariiissa!

Ela nem sequer levanta os olhos para o papagaio. Pode gritar à vontade. Não tem mais espírito. Também, isso todos os dias acaba cansando.

Agora é a Belinha que vem entrando. E que vozinha tremida, que arzinho dengoso quando diz: "Bom dia!". Parece uma princesa. Pensa que vai pescar um marido assim? Pescavas...

O café tem gosto estranho. Querosene?

— Belmira! — grita Clarissa.

Belmira aparece. Sempre o mesmo jeitão de pouco-caso. Mulata pernóstica.

— Que é que houve?

— Alguma coisa caiu no café... Está com um gosto esquisito.

— Qual! Luxos...

Clarissa arregala os olhos. Apela para o Zezé:

— O senhor também não sentiu?

Zezé fica embaraçado, seus olhos dançam de Belmira para Clarissa. E é com um penoso ar de dúvida que responde:

— É... é... eu pelo menos não senti... Talvez... — E sorri amarelo.

Clarissa volta-se para Nestor:

— O senhor não sentiu?

Arranjando o nó da gravata, Nestor faz uma careta e imita a voz de Belmira:

— Luxos! Luxos!

Clarissa sente crescer-lhe a revolta no peito. Um calor incômodo sobe-lhe ao rosto.

Insuportável! Tudo contra a gente. Parece que se combinaram para contrariar, para provocar...

Afasta com gesto brusco a xícara, o café com leite se agita e transborda, lançando uma mancha morena sobre a toalha.

Clarissa sente uma vontade irreprimível de chorar. Porque ela é muito infeliz, porque ninguém gosta dela, porque não tem nenhuma amiga... Ninguém a compreende. O Nestor, um estabanado. O Zezé, um maricas. A Belmira, uma negra muito pretensiosa. Titia só sabe ralhar. Belinha se dá muita importância. O seu Gamaliel só cuida da sua botica e da sua Escola Dominical. O Barata parece um porco: vive para comer e para contar anedotas. Dona Ondina só pensa nos mocinhos do cinema. O tio Couto mais dorme do que faz outra coisa. Sem uma amiga, sem uma companheira, longe da mamãe e do papai...

E esta bola que cresce dentro da gente, que sobe à garganta, que sufoca...

Duas lágrimas aparecem nos olhos de Clarissa, que se esforça para não chorar aqui na frente de todos. Mordendo os lábios, as mãos apertando o rosto, ela sai do refeitório e entra no quarto.

Mas por que será que assim de repente, duma hora para outra, a gente se enche de alegria, dum contentamento muito grande, que dá vontade de abraçar a todos, de dançar, de pular, de correr daqui para ali, de... de... nem se sabe de quanta coisa mais!

Há pouco entrou no quarto para chorar. De repente lhe invadiu o corpo uma sensação boa. Toda a opressão passou...

Agora ela sorri. Seus olhos crescem...

Vai para a frente do espelho. Aproxima-se bem do cristal. É com ternura que se examina. Olha-se bem nos olhos, apalpa-se e num acesso de ternura começa a beijar os próprios braços, quase com gulodice, com uma vontade estranha de mordê-los.

Canta. Que música é esta? Nenhuma. Uma toada que ela vai inventando ao acaso, feita de pedaços de músicas que já ouviu.

Vai dizendo as palavras à toa. Não têm nexo. Só para cantar... Canta em *aaaa*, em *iii*.

Mas não basta cantar. É preciso correr. Clarissa põe-se a correr ao redor do quarto. Ao passar por perto da parede, beija, rápida, a imagem de santa Teresinha. Depois se detém junto da cômoda e esmigalha nos dentes uma rosa branca que pende do vaso de vidro azulado.

Mas isso ainda não é suficiente. O quarto é tão pequeno... Clarissa passa para o refeitório agora deserto. Os copos e cálices na cristaleira coruscam ao sol da manhã, que salta para dentro, através das janelas escancaradas. Como tudo fica bonito, tocado de luz! Micefufe está deitado na faixa dourada que se estende sobre o linóleo de losangos tricolores. Micefufe com sua penugem amarela, cheia de reflexos brilhantes, parece que está chispando fogo. Tem os olhos semicerrados. Será que sonha? Clarissa ajoelha...

— Micefufinho do meu coração...

Estende os braços para o bichano. O gato desperta, arregala os olhos verdes e vidrados, levanta-se, encolhe-se todo arrepiado, numa atitude de defesa...

— Micefufe querido, não estás conhecendo a tua amiga?

As mãos de Clarissa quase tocam o pelo do animal. Micefufe, num salto, se esgueira e foge. Fora da zona luminosa, o pelo do gato como que se apaga.

Clarissa se levanta, corre para o alpendre. No poleiro prateado Mandarim sacode as penas.

— Dá cá o pé, meu louro!

O papagaio dança, ginga, estica o pescoço, levanta a pata, sacode as asas molhadas, projetando no ar gotículas d'água, que faíscam.

No pátio, Clarissa senta-se nas bordas do tanque e começa a riscar com o dedo a superfície da água azulada. Escreve nomes. Clarissa, titia, Tonico, Dudu. Mas o brinquedo logo a enfastia. Com um tapa corta a água, que se encrespa em ondas minúsculas. Clarissa põe-se a rir: tem a impressão de que o céu dança, as nuvens dançam, a luz dança na água agitada...

De súbito começa a gritar e a correr, pondo em pânico as galinhas. Cacarejando, a bicharia foge, num bater de asas.

Cansada, Clarissa para ofegante, deita-se no chão, de costas, à sombra dum pessegueiro. Como está morna a terra, e como é áspera e dura... Espreguiça-se. Tem as faces avermelhadas. Sorri ainda. Os seus seios se agitam. Fica olhando, muito atenta, para as formigas que vão e vêm em duas filas, longas, cada qual a carregar o seu fardo.

Será que as formigas têm língua como a gente? Oh! Claro que têm. Clarissa observa... De quando em quando duas formiguinhas — uma que vem, outra que vai — param, aproximam-se e ficam quietas por um instante uma na frente da outra. Que será que estão fazendo? Naturalmente conversando. E que dirão?

"Boa tarde, comadre."

"Boa tarde. Tem trabalhado muito?"

"Tenho. Veja só o que eu vou carregando nas costas."

"Oh! A senhora é muito forte..."

"Como vai a família?"

Quanta coisa se podem dizer as formigas...

Clarissa lembra-se da história da Cigarra e da Formiga, que está na *Seleta em prosa e verso*. Por sinal o trecho já lhe caiu uma vez em exame. "Cantava? Pois dance agora!"

Clarissa ergue os olhos.

Como está bonito o pessegueiro todo pintalgado de flores cor-de-rosa contra o céu azul! Através dos ramos, ela olha as nuvens que boiam no ar, como frocos de algodão. Ou como velas de grandes navios?

Clarissa ergue-se com uma repentina vontade de correr mais, muito mais... Como é boa a vida, meu Deus! E este sol, este sol, este sol!

12

Olhando Clarissa que ainda corre e salta no pátio, Amaro sente como nunca o peso de sua imobilidade. Ele — o homem parado, a negação do movimento. Sempre ali, fechado com os seus poetas, os seus músicos, no quarto pequeno de solteiro. Sempre prisioneiro. Lá fora, as paisagens faiscantes, as raparigas em flor, um mundo que se oferece todo cheio de surpresas e de oportunidades de prazer e beleza.

Com um fogo estranho nos olhos, Amaro recorda.

O menino pálido do passado tinha tido um sonho muito grande. Vontade de correr o mundo, de ver, de ouvir, de viver...

Fez como o poeta:

There was a naughty Boy,
And a naughty boy was he,
He would not stop at home,
He could not quiet be.

Sim, era uma vez um menino tolo que não queria ficar em casa, quieto... Achou que devia existir um mundo extraordinário além do horizonte... Então

He took
In his Knapsack...
A Book
Full of vowels
And a shirt...

Botou dentro da mala uma camisa e uma carta de recomendações que dizia assim:

Meu ilustre correligionário:
Tenho o prazer de apresentar-lhe o jovem Amaro Terra, um moço de muito talento que vai a essa capital à procura de emprego...

A mãe beijou-o muitas vezes, enxugou uma lágrima e deu-lhe mil conselhos. O pai ficou firme e disse: “Um homem é um homem, e um gato é um bicho, seu Amaro!”.

O rapaz desobediente acreditava na Glória. E partiu...

To the North
To the North
And follow'd his nose
To the North

Levou na mala a carta do coronel chefe-político; na cabeça, uns rudimentos de música aprendidos com o velho professor da vila; e no coração um grande sonho, tão grande que nem ele próprio lhe conhecia os limites.

There was a naughty boy
And a naughty boy was he,
For nothing would he do
But scribble poetry.

E o moço pálido só pensava em um dia poder escrever grandes poemas e grandes sinfonias...

He ran
To the mountains
And fountains
And ghostes
And Postes
And witches
And ditches

Bateu cabeça pelo mundo.

Principiou assim: o coronel não estava em casa. Depois continuou não estando em casa. Um dia, pegado de surpresa, disse que estimava muito o coronel lá da vila, que teria muito prazer em servi-lo, que isso, que aquilo... mas que presentemente — sentia muito! — não havia vagas...

E o moço pálido, na cidade hostil, achou tudo diferente. Não via nas janelas as caras familiares que perguntavam:

"Bom dia, seu Amaro, como estão todos lá em casa?"

Os homens passavam apressados. Ninguém conhecia ninguém. E o mesmo estribilho por toda parte o perseguia: "Não há vagas...".

Que fazer? Voltar? Ou insistir como o *naughty boy* em

To follow one's nose
To the north
To the north...

Amaro seguiu seu nariz e ficou. E desde então continuou ficando. Parado.

Veio o emprego do banco.

"Amanhã talvez apareça outro melhor... Amanhã."

Vieram outros dias. Conformou-se. E os sonhos? E as sinfonias? E os poemas? Amanhã...

Assim, dez anos. Sem variantes. Um dia acariciou a ideia de voltar à terra natal. Para ver a ruazinha humilde, com o cego que tocava concertina, o cachorro vagabundo que se refestelava ao sol, o vendeiro português... Mas isso não passou de simples projeto. Amaro tinha sempre e sempre muitos projetos. Um tumulto de invenções, melodias, sinfonias, poemas... Mas entre o plano e a realização havia um abismo que era preciso vencer com um pulo. E Amaro nunca dava esse pulo... Medo? Ou via que tudo, no fundo, é inútil, que todos os gestos no fim se desfazem em poeira?

Os outros dizem:

"O seu Amaro é um moço carrancudo..."

"O seu Amaro não sabe rir..."

"O seu Amaro é misantropo..."

"O seu Amaro não gosta de ninguém..."

E no entanto ele sofre em silêncio. Quanta ternura recalcada, quanto gesto de carícia e de complacência corre no gelo do silêncio e da imobilidade. Ele olha para todas as criaturas e para todas as coisas com uma profunda simpatia, mas com uma simpatia que jamais se transforma em gestos ou palavras. Às vezes tem uma vontade inenarrável de sorrir para toda a gente que o cerca, de revelar toda a sua cordialidade e toda a sua compreensão numa frase, num sorriso, num ato... Mas o espírito de análise intervém, destruidor, disseca todas as ideias e mata o gesto... Fica ecoando no ar a pergunta que os lábios não fizeram mas que a mente não cansa de formular: para quê? E depois, mais forte que tudo, a sua timidez...

E assim ele passa pela vida em silêncio, de olhos baixos, sem olhar nem sorrir para ninguém.

There was a naughty boy... que tinha um grande sonho...

E agora ele está aqui — rumo dos quarenta anos, à janela dum quarto de pensão, olhando para uma menina em flor que rodopia ao sol...

Clarissa dança. A sua sombra mancha de escuro a terra cor de ocre. Batido pela luz crua da manhã, o muro caiado tem lampejos de metal.

O menino doente está no pátio da casa vizinha, tomando sol. Tem a cabeça recostada no espaldar da cadeira. Está imóvel, parece até que dorme.

Os olhos de Amaro fitam ora Clarissa, que dança, ora Tonico, que guarda uma imobilidade de estátua.

O papagaio grita estridulamente. Micefufe caminha por cima do muro, cauteloso, manso, traiçoeiro, negaceando o tico-tico que está pousado num talo da roseira.

13

Vem do corredor um rumor de passos.

Clarissa esconde apressada o livro que está lendo. Olhos parados, fica imóvel, escutando. Os passos se afastam, morrem no fundo do corredor. Clarissa torna a abrir o livro.

Um romance. Tem que ler às escondidas. A titia não gosta de livros que não sejam os do colégio. Diz que os romances prejudicam a cabeça duma menina que estuda.

O nome do livro é: *A que morreu de amor*... Está no quinto capítulo. E com uma curiosidade enorme de saber se Márcio no fim vai casar com Elfrida. Oh! Ela imagina o Márcio um moço alto e simpático como Gary Cooper. Tem de ser assim, mesmo que o autor do livro não queira. Elfrida, lourinha delicada, só pode ser assim como Jean Harlow, com a diferença de que a heroína do romance é calma, quieta, comportada. Márcio é pintor. Elfrida, filha de um milionário. Os dois se encontram numa exposição de quadros. Olham-se, gostam-se, falam-se. Márcio volta para casa, encantado. Mora numa "mansarda". Por que é que nos romances sempre há mansardas? E que será mesmo mansarda? Deve ser uma casa muito velha, muito pobre. Com Márcio mora Alfredo, um músico. Quando Alfredo apareceu no romance, Clarissa pensou logo em Amaro. Por quê? Porque o Alfredo também é músico? Não foi só por isso: foi porque também o Alfredo é triste e calado como Amaro. Oh! Mas o Márcio é um rapagão alegre, corado, que canta no banheiro, que joga tênis...

Clarissa está tão absorta na leitura que nem ouve os ruídos da pensão: a cantiga molenga e desafinada da Belmira, que está na varanda arrumando os pratos para a janta, as risadas do velho Nico Pombo, a música do rádio que vem da casa grande da vizinhança.

Márcio e Elfrida encontram-se à beira dum lago. Os salgueiros inclinam-se sobre a água, que o sol tinge de ouro.

— *Elfrida, desde que te vi, tens sido a minha inspiração. Sinto que estimulado por ti realizarei um dia uma grande obra de arte que me imortalizará!*

Clarissa vê, vê de verdade. Gary Cooper está na frente de Jean Harlow. Elfrida sorri, com seus olhos verdes como salgueiros mergulhados nos olhos escuros do namorado.

Clarissa enxerga o quadro, com uma nitidez surpreendente, como se tudo estivesse acontecendo ali no quarto, como se o lago fosse o espelho e o salgueiro, o estore esverdeado da janela.

Clarissa ergue os olhos e fica pensando... Ela se chama Clarissa por causa dum romance. Antes de nascer lhe tinham escolhido já um nome: Henriqueta, que era o nome da vovó. Mas aconteceu que papai andava entusiasmado com um romance que tinha uma personagem muito simpática chamada Lady Clarissa. Papai sempre conta isso. "Lady Clarissa era uma alma angélica num corpo de fada." Palavras que a gente nunca esquece. Pois Lady Clarissa protegia os pobres e dava-lhes de comer às ocultas do marido — um senhor feudal de bigodões enormes e ar feroz.

Papai bateu pé e disse: "Se for mulher, há de se chamar Clarissa. Se for homem, será Olivério, em homenagem ao avô". Clarissa, por causa dum romance... Lindo!

O vento agita os salgueiros. Márcio e Elfrida, de mãos dadas, fazem castelos no ar... Uma casinha de telhado vermelho, entre árvores, uma vida tranquila. O sol aos poucos se vai escondendo. Brilham no céu leitoso as primeiras estrelas. Elfrida se sobressalta.

— *Oh! meu amor! Tenho de ir. Vai-se fazendo noite.*

Há uma súplica comovente no olhar do mancebo:

— *Perto da luz de teus olhos* — diz ele — *eu não vejo a noite.*

Uma pausa longa.

De repente das moitas sombrias emerge um vulto negro. Uma voz lenta e grave risca o silêncio:

— *Miserável caçador de dotes! Não me roubarás a minha Elfrida.*

É o pai da moça.

Clarissa sente o coração bater-lhe apressado. Oh! Que susto, meu Deus. Pobre Elfrida! Pobre Márcio! Que será deles? Que será?

Foi como se o chão se abrisse aos pés do mancebo...

A porta do quarto se abre de repente.

Clarissa levanta a cabeça, assustada.

— Clarissa! Querida!

Uma mancha de vermelho vivo contra a porta esmaltada de branco.

É Dudu, muito loura, dentro de um vestido berrante.

Clarissa ergue-se, sorrindo.

— Minha querida!

Beijam-se.

— Que surpresa!

— Que estavas fazendo?

Clarissa mostra o livro:

— Nem imaginas o susto que me deste. Eu estava lendo isto...

Dudu olha o título. Faz um gesto depreciativo:

— *A que morreu de amor*. Conheço essa droga. A tia Beta tem. Pura besteira...

Clarissa faz uma careta de censura:

— Olha, Dudu, um livro tão bonito, nem deves dizer isso...

Dudu dá uma reviravolta. Arranca com gesto rápido o chapéu. A cabeleira loura como que explode, brusca como uma labareda.

Clarissa olha-a com uma atenção cheia de ternura.

No rosto miúdo de Dudu, à primeira vista, a gente só enxerga os olhos muito negros e graúdos: depois é que vê a boquinha minúscula, o nariz levemente arrebitado, e a pele branca, muito alva, com uma leve penugem dourada. É alegre, desinquieta e — será que se pode dizer assim? — brilhante... Tem a voz grossa meio rouca, e uma maneira de falar toda especial: "Te digo, benzinho!"; "É da pontinha!"; "É de outro planeta!". Dudu! Dudu, que tem liberdade, sapatos de salto alto, vestidos bonitos, namorados... Dudu, que vai ao cinema e aos bailes quando quer... Dudu!

Clarissa estende os braços para a amiga.

— Há quanto tempo não vinhas me ver?

Dudu sorri, mostrando os dentes miúdos.

— Você, também, vive entocada...

— Ora... mas tu compreendes... a titia...

— Te digo, benzinho, essa vida me matava...

Dudu atira-se na cama de Clarissa. O colchão fofo afunda. A rapariga loura estende os braços num espreguiçamento. Clarissa a observa, maravilhada.

— Então, ainda não tens namorado?

Clarissa sacode a cabeça: não.

— Boba! Já não és mais criança. Com a tua idade botei salto e comecei a namorar o Nelson, quintanista de medicina...

— Dudu, ainda namoras o Carlinhos?

Dudu ergue-se de chofre.

— Nem me fales no Carlinhos.

Sua fisionomia assume uma expressão de seriedade surpreendente. Clarissa estranha:

— Mas que é isso, Dudu? Que foi que aconteceu?

— Imagina o que eu descobri...

Os olhos de Clarissa interrogam.

— Pois descobri que o Carlinhos tem uma amante...

— Uma amante?

— Sim. Uma a-man-te! Não compreendes? Uma mulher que vive com ele, como se fossem casados...

Clarissa está perplexa, uma ruga na testa, a sobrancelha alçada, pensativa, sem compreender muito claro.

— Não sabes o que é uma amante? Pois quase todos os homens têm amantes...

Clarissa continua imóvel, em espantado silêncio.

— É isso — diz Dudu num tom de desprezo. — Tu vives lendo esses romances de colégio de freiras. Não admira que não saibas certas coisas.

Dudu ergue-se, vai até a janela, debruça-se para fora. Volta-se de súbito.

— Clarissa, pelo que vejo, vais para o céu, feita anjinho.

Ouve-se, vindo da rua, o grasnar duma buzina de automóvel.

— Olha, benzinho, eu me vou. O auto do Lucas está lá na rua: veio me buscar. Adeus!

Beijam-se de novo.

Dudu sai a correr. Clarissa segue-a.

Na sala de visitas, no seu estabanamento, Dudu quase derruba um vaso. Desce as escadas a voar. Na frente da calçada acha-se parada uma baratinha azul. Ao guidom, um rapaz moreno vestido de cinzento. Dudu senta-se ao lado dele, com desembaraço.

O motor do automóvel ronca. O carro arranca e se vai, macio, rua afora.

Dudu faz um adeus com a mão:

— *Good-bye*, benzinho!

Clarissa, perplexa ainda, levanta a mão:

— Adeusinho!

O auto desaparece na primeira esquina.

Clarissa se volta. D. Eufrasina lhe surge pela frente, mãos na cintura, cara fechada:

— Eu ainda acabo com essas amizades. Um dia bato com a porta na cara dessa desfrutável.

Clarissa atravessa a varanda. As palavras de Dudu ainda lhe soam na mente:

"Pois quase todos os homens têm amantes..."

Por que esta vontade de chorar? E este medo? E esta inquietude? Que lhe importa se Carlinhos tem uma amante... Mas quase todos os homens têm amantes... Papai terá? Oh! Como mamãe choraria de pesar se ele tivesse... E tio Couto? E seu Amaro?

Clarissa fecha a porta do quarto.

Parece que Dudu ainda está ali estendida em cima da cama, rindo e sacudindo a cabeleira de ouro.

"Boba! Quase todos os homens têm amantes..."

A vida tem segredos terríveis, a vida tem coisas que apavoram mesmo que a gente não as compreenda bem claro.

Clarissa está deprimida. Dois sustos, duas comoções fortes, uma após outra. Primeiro foi a aparição súbita do pai de Elfrida, que a surpreendeu em colóquio amoroso com o pintor. Depois a revelação espantosa de Dudu: "Quase todos os homens têm amantes...".

Clarissa mergulha a cabeça nos travesseiros e chora, chora porque as coisas más acontecem não só nos romances mas também na vida...

14

Domingo.

Os sinos cantam. A luz cor de mel da manhã nova incendeia os pingos de sereno que ficaram nas corolas, nas folhas, nos telhados.

A voz de d. Zina quebra o silêncio:

— Apura, Clarissa! Olha que o sino já deu o primeiro sinal.

Na sombra fresca do quarto, à frente do espelho, Clarissa ajusta na cabeça o chapéu de palha de abas largas e moles, enfeitado de florinhas primaveris.

Um vento quase gelado entra pela janela, inflando os estores, fazendo oscilar na parede a imagem de santa Teresinha, folhando em desordem as folhas finas do missal, pondo arrepios na pele da gente.

No soalho tenuemente sombrio, a janela projeta um quadrilátero alaranjado, onde se agita a sombra rendilhada duma roseira.

Clarissa cantarola, puxa o chapéu para a direita, para a esquerda, recua dois passos, detém-se, olha, sorri, fica séria de novo, aproxima-se outra vez do espelho, puxa o chapéu mais para a frente, torna a recuar, a olhar, a sorrir... Assim está bem, mas assim fica melhor. E o vestido? Oh! Maravilhoso. O verde fica bonito contra a pele morena. Está justo como uma luva. A gola de piquê branco é um contraste vivo.

E se ela se pintasse como a Dudu? Se deixasse ainda mais vermelhos estes lábios, ainda mais negras estas sobrancelhas, ainda mais coradas estas faces? Qual! Pintura é para a Belinha, que não tem cor... ou para a Dudu, que gosta de exagerar... Agora, se a titia lhe desse sapatos de salto alto, é que seria um encanto, um verdadeiro encanto... Ficaria uma mocinha perfeita. Os rapazes conhecidos lhe tirariam o chapéu. Os desconhecidos olhariam para ela, admirados. E perguntariam:

"Quem é aquela senhorita graciosa que vai ali, de vestido verde?"

Enfim... é preciso ter paciência. A gente nunca faz tudo o que quer, porque no fim de contas...

— Depressa, menina!

— Já vou, titia!

Clarissa apanha o missal. Lança mais um olhar para o espelho. Empertiga-se. Põe-se de perfil, enviesando os olhos. Um detalhe lhe fere a atenção. Só agora o espelho lhe faz a revelação surpreendente. Os seios... uns seios que crescem e se acusam no relevo do vestido, francamente pontudos, bem visíveis, bem pronunciados. Clarissa olha, abismada... Teriam crescido a noite passada? Ou se teriam desenvolvido através de muito tempo, sem que ela tivesse percebido?

Os seus olhos se agrandam. Clarissa se apalpa, medrosa. Isso estará certo? Não será feio, grande Deus, não será ridículo? E se ela ficar assim com uns seios enormes, moles e caídos como os da tia Eufrasina, como os da dona Tatá? Como a vida tem mistérios, como a vida tem coisas que assustam...

Um pensamento a tranquiliza: Dudu também tem seios crescidos, pontudos... Deve ser natural. Todas as moças têm. Os homens decerto que não. Mas... e as crianças, as meninas? É claro que, quando os seios crescem, é porque a gente está ficando moça... Deve ser natural, deve ser direito... Deve...

— Clarissa! Vens ou não vens? Clarissa?

Com passo miúdo e rápido deixa o quarto. Tia Zina a está esperando na sala de visitas, escarrapachada sobre uma cadeira, entalada dentro da cinta que a comprime e martiriza, os pés penosamente metidos em sapatos de verniz.

— Como a titia está bonita!

— Deixa disso, vamos embora que já não encontramos mais lugar na igreja...

Saem. Tia Zina vai gingando e gemendo:

— Estas banhas do inferno são o meu suplício. Toda vez que tenho de botar cinta é isto, uma coisa horrorosa. A coisa mais triste do mundo é a gente ser gorda.

No jardim as flores flamejam. O canteiro das margaridas é uma chama dourada que dói nos olhos. O vento agita os malmequeres brancos, de caules longos e finos. Contra o verde lustroso e macio da relva, gritam os cravos vermelhos. As glicínias balançam os cachos roxos ao longo do muro branco e fúlgido, onde se vê também o vermelho móvel das rosas. O areão do solo tem cintilações vivas e miúdas.

Os sinos tornam a badalar. Parece que a sua música prolongada e vibrante deixa mais claro o ar.

D. Zina e Clarissa caminham, passo acelerado.

Na rua que se estende a perder de vista, há zonas de sol e de sombra. As vidraças coruscam. Passam automóveis, carroças, homens, mulheres, crianças. As mulheres e as crianças mancham de cores vivas a cena urbana. Um vendedor ambulante canta:

Oia la mãnzanaaaa...

O pregão é um pedaço duma toada napolitana. O vendedor traz no braço um cesto cheio de maçãs muito rubras e lustrosas.

Os sinos continuam a bimbalhar.

D. Zina geme. Clarissa vai como que voando, bebendo ar e luz pelos olhos, pela boca, pelas narinas, pelos poros.

— Reza hoje pra o teu pai vender o gado, Clarissa.

— Sim, titia.

— Reza pra eu alugar aquele quarto do segundo andar.

— Pois sim, titia.

— Reza pro teu tio arranjar emprego.

Tia Zina funga e ofega. Clarissa vai andando, aérea, sem esforço, leve, como se tivesse asas. As abas do chapéu bamboleiam, moles, põem-lhe no rosto iluminado uma sombra mansa que lhe vai até o meio do nariz, dividindo-lhe o rosto em duas zonas distintas. Dentro da zona sombria, os olhos fulgem. Dentro da zona luminosa, os lábios ainda ficam mais encarnados.

— Deus queira que a gente ache lugar — murmura d. Eufrasina.

Clarissa não responde, não ouve, não atende.

Anda longe, numa viagem maravilhosa. Agora está na estância, com papai e mamãe, no campo aberto, pernas mergulhadas nas macegas úmidas e ásperas, cabelos soltos ao vento das coxilhas. Depois já está mais longe, num país desconhecido. É Lady Clarissa, que dá comida aos pobres, num desafio ao marido truculento e bigodudo. Já agora está com Márcio e Elfrida, à beira do lago azul sobre o qual os salgueiros se debruçam. Pouco depois já nem sabe mais onde está: é um país muito bonito, onde o Tonico tem duas pernas, dona Tatá tem dinheiro, a titia alugou o quarto do segundo andar, o tio Couto achou um emprego, seu Gamaliel ganhou uma lupa nova e seu Amaro aprendeu a sorrir.

15

Sentado no banco do jardim, Amaro lê os seus poetas.

As folhas da árvore que lhe dá sombra desenham arabescos móveis nas páginas do livro.

O jardim é uma festa. Passa no ar uma borboleta amarela, como uma folha de papel de seda levada pelo vento. Um besouro zumbe em torno dum canteiro. Uma rosa se despetala lentamente e as pétalas rolam para o chão. Há, pelos canteiros, verdes de todos os matizes. As glicínias perfumam o ar. Por entre a relva se arrastam insetos minúsculos de asas coloridas.

Amaro fecha o livro e olha o jardim. Por que será que lhe vem à memória a imagem de Clarissa? Clarissa é parte integrante deste jardim florido e luminoso, Clarissa é como a relva veludosa, como as glicínias, como as margaridas, como as rosas. Clarissa é qualquer coisa de agreste e puro. Clarissa é música e é poesia, menina e moça — olhos abertos para o mistério da vida, alma que amanhece.

Amaro recorda com amargura que na sua adolescência sentiu passar pela sua frente raparigas em flor, sem sequer levantar os olhos dos livros em cuja leitura mergulhara. Elas cantavam e riam ao sol. Ele — insensato — pensava que a vida estava só nos livros...

Agora é tarde. Tarde para voltar. Tarde para corrigir. O milagre da mocidade não se repete.

A hora rútila de Clarissa passará também. Amanhã ela se fará mulher de todo. Professora, irá para a sua cidade natal, onde decerto casará com o filho dum fazendeiro rico. Serão muito felizes, terão muitos pimpolhos gordos. Clarissa ganhará fartas carnes, ficará como a tia, será uma esplêndida dona de casa, que há de saber fazer gostosos doces, e queijos e bolinhos...

Uma nuvem de tristeza empana os olhos de Amaro. Ele se ergue quase sem sentir. Põe-se a caminhar dum lado para outro, mãos às costas, o pensamento solto...

Clarissa! Agora ela é poesia, ingenuidade, ternura, incompreensão, encantamento... Para ela a vida está cheia de surpresas e de atrações irresistíveis. Mas, amanhã, que virá? Amanhã? A dissolução, a deformidade do corpo e do espírito. Hoje — a menina verde, fresca, risonha. Amanhã — a matrona gorda, senhora respeitável, que sabe em que mês devemos plantar couves, que não acredita "nessas bobagens dos poetas" e que nem sequer há de saber ensinar aos filhos a mentira bonita dos contos de fadas. Dir-lhes-á com uma voz árida:

"As fadas não existem, nem as varinhas de condão. Os poetas só dizem mentiras. Vocês devem mas é aprender as quatro operações, a curar bicheira e a dar banho de carrapaticida no gado. Isso é que vocês devem aprender, pra juntar dinheiro, povoar a fazenda, comprar mais campo e ganhar prestígio político..."

Amaro procura apagar o pensamento mau.

Agora compreende mais que nunca que só na arte a beleza é imortal. Canta-lhe na cabeça o verso de Keats:

A thing of beauty is a joy for ever.

Na verdadeira arte nada morre. A mocidade e o encantamento se renovam perpetuamente: e a eterna luminosidade, a eterna graça.

Senta-se de novo, mais sereno.

Mas o momento luminoso de Clarissa ainda não passou. Ela vive aqui na pensão, livre sob o sol, no quintal, no jardim, na sala, na varanda. Cantando, sorrindo, cumprimentando toda a gente...

E ele a poderá contemplar da sombra... Inspirado em Clarissa, há de compor ainda muitas músicas frescas e alegres. A canção do minuto claro. A rapariga ao sol. Menina e moça. Uma suíte de cor e movimento que há de se chamar: "Clarissa amanhece".

E amanhã, quando Clarissa for embora, na pensão só haverá caras envelhecidas, homens e mulheres que arrastam os seus draminhas escondidos, as suas mazelas, os seus cacoetes, as suas idiossincrasias, as suas vidocas, enfim.

A thing of beauty is a joy for ever...

Amaro torna a abrir o livro.

Gamaliel atravessa o jardim, metido na sua roupa domingueira de sarja azul. Passo miúdo e apressado, vai contente, com a Bíblia debaixo do braço.

Feliz — pensa Amaro. — Vai garantir o seu par de asas imaculadas para a Eternidade. Feliz!

— Bom dia, seu Amaro!

— Bom dia!

— Então — pergunta Gamaliel, detendo-se por um momento —, não vai a alguma missa?

Amaro faz um gesto negativo.

— Fico com os meus poetas... — explica.

O farmacêutico faz um gesto de repreensão:

— Herege! É preciso escutar a voz do Senhor...

— Oh... Mas Ele não me fala...

Gamaliel se aproxima de Amaro, apostólico:

— Falando sério, seu Amaro... O senhor nunca foi tocado pela graça do Espírito Santo?

— Que eu saiba...

O rosto de Gamaliel tem uma expressão grave. Com a sua voz macia, declara solenemente:

— O senhor sabe que eu era capaz de perder a minha Escola Dominical hoje, só para convertê-lo ao Evangelho?

— Acredito...

O prático de farmácia arranja o nó da gravata. Silêncio curto.

— Seu Amaro, o senhor nunca teve mesmo uma revelação, por pequena que fosse? Nunca lhe aconteceu nada de sobrenatural: um aviso, uma voz em sonho, uma graça qualquer do Altíssimo?

Amaro tem nos lábios um sorriso amargo:

— Um dia — diz — entrei numa igreja...

— Protestante? — interrompe Gamaliel, sôfrego.

— Não me lembro... uma igreja...

— Orou, pediu fé a Deus?

— Não...

— Então que foi fazer lá?

— Fiz como o meu poeta — explica Amaro, mostrando-lhe o livro que tem na mão —, fui a uma igreja porque o seu silêncio e a sua sombra fresca são propícios ao sonho e à leitura...

— E então? Veio a revelação?

Amaro sacode a cabeça.

— Não. Veio um cavalheiro que era sacristão ou coisa que o valha... Aproximou-se de mim e disse: "O senhor desculpe, mas aqui não é sala de leitura...".

Gamaliel está escandalizado. Sorri amarelo.

— Garanto que não era igreja evangélica. Nós somos muito tolerantes, muito tolerantes! E, depois, todos os homens são irmãos...

— Eu creio...

O prático de farmácia tira o relógio, impaciente.

— Mas, seu Amaro, é preciso tratar seriamente desse magno problema. Cuide da sua alma. Que será dela na Eternidade? Olhe que um dia a morte vem e esses seus poetas não poderão acudir o senhor no inferno... Quando a hora da morte chegar, pode ser tarde... Cristo disse: "Eu sou o Caminho, a Verdade e a Vida...".

Olha o relógio, aflito.

— Olhe, está na hora...

— Da morte?

— Seu Amaro, não brinque com essas coisas. Até logo! Mas eu não desanimo. Tornaremos a falar no assunto. Até logo!

Afasta-se, no mesmo passo miúdo e apressado.

E Amaro tem a impressão de que um bando de anjos rechonchudos seguem, protetores, o prático de farmácia, volitando ao redor de sua cabeça.

16

Deus me perdoe — pensa Clarissa —, mas que vestido esquisito.

Clarissa tem a cabeça baixa, o livro de orações aberto sob os olhos vivos, que estão mirando de soslaio uma mulher ruiva e gorda que sua e geme e bufa, apertada dentro dum vestido amarelo-canário.

D. Zina cutuca a sobrinha com o cotovelo.

— Presta atenção na reza! — cochicha.

Clarissa baixa os olhos.

Eterno Pai, eu Vos ofereço o sacrifício que da Sua vida preciosa fez sobre a Cruz e renova agora...

Zunzum abafado. O altar-mor rebrilha. A imagem de Jesus estende os braços num gesto acolhedor, coração sangrando.

... sobre este altar...

Na mente de Clarissa as ideias brotam em tumulto.

Este altar? Aquele altar. Engraçado. A vestimenta do padre é quase da mesma cor do vestido desta mulher gorducha. Deus me perdoe... *o Vosso dileto Filho Jesus. Eu Vo-Lo...* Vo-Lo. Bolo... Credo!... *Vo-Lo ofereço em nome de todas as criaturas, conjuntamente com as Santas Missas...* Este cheiro, este cheiro enjoativo de violeta deve vir...

Levanta os olhos. No banco da frente reluz, úmida e lubrificada, a carapinha duma preta.

... da cabeça daquela negra, que Deus me perdoe, amém!... Oh! Mas é preciso rezar... *... e de Vos pedir humildemente por mim...* pela mamãe, pelo papai, pela tia Zina, pelo tio Couto, pela dona Tatá, pelo filho dela, por toda aquela gente lá da pensão... *pela Santa Igreja, por todo o mundo e pelas benditas almas do purgatório. Amém!*

O incenso sobe. As imagens nos seus nichos têm agora um tom esfumado, como figuras de sonho. Pelas janelas ogivais entra a luz do sol. Os vitrais coruscam. Há pelos bancos um mar agitado de cabeças, negras, louras, castanhas, grisalhas, brancas; chapéus de todas as cores; uma confusão de formas, cores e movimentos. Junto de Clarissa uma senhora velha, vestida de preto, de quando em quando suspira. É magra, encarquilhada, tem o rosto cortado de rugas, uma boca que já engoliu os lábios, queixo saliente, olhos de órbitas fundas. É com grande dificuldade, com gemidos e suspiros, que ela se ajoelha e senta, e se ergue. Das mãos magras de cera pende-lhe o rosário.

Quando eu ficar assim... (Uma ideia horrível se desenha na mente de Clarissa.) Quando eu ficar velha, hei de ter um vestido preto como esse, uma carinha de tico-tico como essa, um rosário encardido como esse... Hei de andar encurvadinha. Os guris na rua vão se rir de mim. Virei à igreja todos os dias e hei de suspirar também muitas vezes. Quando eu ficar velha... Meu Deus, o senhor não deixe nunca eu ficar assim!

Nos olhos de Clarissa há uma súplica aflita.

Ela os fita no altar-mor. Parece-lhe que Cristo sorri e diz:

"Sim, Clarissa. Não deixarei que fiques velha."

Diante do altar o padre ajoelha.

Clarissa aperta com força o livro de reza, murmurando:

Ó meu adorável Jesus, começais a Vossa Paixão no horto...

Outra vez os pensamentos importunos que saltam de repente, traiçoeiros, burlando a vontade.

Horto... que será horto?... Uma vez já a professora explicou... Horto... Horta...

Clarissa enxerga mentalmente a horta da casa dos pais: couves, repolhos, batatas, abóboras e tomates ao sol; por entre as folhas verdes (a troco de quê, até das pequenas coisas a gente se lembra?) passeiam insetos, bichinhos coloridos; os mandurúvás cor de fogo estão colados aos troncos das árvores. Cesto pendente do braço, chapéu de palha na cabeça, mamãe apanha tomates para o almoço...

Tudo isso numa fração de segundo, num relâmpago.

Horto... horta... Pensamentos esquisitos. É o Diabo que vive tentando a gente, que quer obrigar a gente a desviar a atenção da reza... *Gemeis*... gemada, amarela, doce, boa, gemada, ovo, galinha, pinto... outra vez o Diabo! *Gemeis, suspirais*... como suspira esta velhinha! *exclamais!... minha alma sofre uma tristeza mortal*. Sim, a minha alma sofre uma tristeza mortal quando eu me lembro que o Tonico tem de passar toda a vida sentado numa cadeira de rodas, porque não tem perna e não tem sangue... *Vede todos os pecados do mundo, também as minhas muitas culpas...*

D. Zina reza. Escorrem-lhe pelo rosto moreno gotas de suor. O seu nariz reluzente e avermelhado é um contraste vivo no rosto branco de pó de arroz.

Os meus pecados... — pensa Clarissa — sim, os meus pecados. Deus, perdoa os meus pecados. Roubei a semana passada um merengue do guarda-comida. Colei na sabatina de história. Dei um pontapé no Micefufe... Também, ele estava me incomodando, chegou a me arranhar a mão... *Vede a série de todos os tormentos que Vos estão preparados: os flagelos, os espinhos, os cravos*... os cravos...

Aqui Clarissa vê o jardim da pensão com o seu canteiro de cravos vermelhos. Tia Zina tem um cuidado imenso, um amor enorme pelas suas flores. Diz sempre: "São como minhas filhas. Deus não me deu filhos, eu cuido das flores".

Os sons do órgão enchem a igreja duma música arrastada, longa, chorosa. Clarissa se lembra dum negro velho que tocava cordeona lá na estância. Chamava-se Robustiano. Contava histórias do tempo da escravatura. A música da cordeona era assim como a do órgão, triste, funda, trêmula, cheia de soluços.

Clarissa olha em torno. Junto da parede um sargento do exército se perfila, muito sério, metido num fardamento de flanela cáqui, botões dourados, divisas graúdas. Um cavalheiro calvo, de pele terrosa e nariz arrebitado, tem os olhos pregados no soalho. Num banco próximo, uma mulher sardenta cochila. Acocorada no chão, junto dela, uma criança brinca em silêncio. No seu nicho, são José tem nos braços o Menino Jesus, que nas mãos débeis segura o mundo. Nossa Senhora Aparecida, de coroa dourada e vestido azul, sorri um sorriso de bondade. Um cheiro de incenso anda pelo ar luminoso. Agora os vitrais brilham com mais força. O altar-mor corusca, como se fosse todo feito de joias.

Clarissa sente um arrebatamento, algo de estranho lhe invade o ser. Uma sensação esquisita, boa mas opressiva. Qualquer coisa de aéreo, de suave, de misterioso que faria a gente chorar muito se não fosse essa mão invisível que aperta a garganta...

Estes santos, estas imagens, estes mistérios... Quantos segredos a vida tem! Por que será que os santos não falam com a gente? Seria tão bom... Confessar tudo, tudo à Virgem Maria... Dizer-lhe:

"Virgem Santíssima, a senhora desculpe o meu atrevimento, mas lá em casa há muita coisa que não está direita. O pobre do papai ainda não pôde vender o gado. O tio Couto faz seis meses que está sem emprego. A tia Zina ainda não encontrou hóspedes para aquele quarto lá em cima. O Tonico sofre muito, coitadinho. A dona Tatá também, por causa do filho e por causa da falta de dinheiro. O seu Amaro vive sempre triste, parece que é muito infeliz... Virgem Maria, faça alguma coisa por nós. Amém!"

A Virgem Maria sorri dentro do seu nicho cheio de sol. E Clarissa, encorajada, pede ainda:

— E para mim, Mãe Santíssima, eu quero uma coisa, uma coisa... que tenho até vergonha de pedir...

Clarissa sente que lhe batem de leve no braço. É tia Zina.

— Levanta, menina!

Toda a gente na igreja está de pé. A velhinha suspira. Agora é mais ativo e nauseante o cheiro que vem da carapinha da negra. A mulher de vestido amarelo ofega, sua, limpa o rosto com o lenço. A criança que brincava em silêncio desata o choro.

A voz metálica do padre vibra no ar.

17

Os sinos repicam.

Na frente da igreja há gente aglomerada, quase todos homens, rapazes bem-vestidos, de roupas e gravatas vistosas.

Clarissa e a tia descem as escadas que levam à calçada. D. Zina vai comentando:

— É um alívio quando a gente sai da igreja. Parece que fica mais leve, com menos pecados.

Clarissa mal a escuta... Seus olhos dançam, de cá para lá, para o alto, para baixo, para a direita e para a esquerda. Por todos os lados, risos, vozes claras, gestos animados.

Ver outras pessoas, outras caras, outras vozes, outros vestidos... Sair da pensão de toda a semana... Enxergar pessoas diferentes, que não são as colegas do colégio nem os hóspedes da pensão... Respirar largamente, olhar tudo, ter a liberdade de sentir o cheiro de gasolina dos automóveis que correm pela rua, o perfume das pessoas bem-vestidas... Olhar os rapazes, os velhos, as moças, as crianças, os cachorros. Ver casas, pedras, árvores, nuvens...

— Clarissa, estás tonta? Aonde vais?

Só agora Clarissa percebe que se afastou tanto da tia que quase se vai perdendo no meio do povo. D. Zina dá o braço à sobrinha. À beira da calçada, homens se perfilam. Um de luto, tristonho, gravata e chapéu pretos. Nem bonito nem feio. Outro de branco, gravata verde-musgo, chapéu de palhinha. Sorrindo. Quase bonito. Mais adiante outro, alto, magro, olhos impertinentes, sorriso de pouco-caso. Seria bonito se não fosse esse ar cínico. E que engraçado é aquele sujeito baixote, grosso, de óculos de aros de tartaruga, narizinho esborrachado, charuto no canto da boca. Que ridículo!

— Clarissa, não olhe tanto pros rapazes. Cuidado, já estás ficando moça...

A voz da tia Zina é severa. Clarissa faz uma careta de desagrado.

— Eu mal estou vendo os rapazes...

Mal? Quê! Ela tem um jeito de olhar, um jeito furtivo, dissimulado, assim como de quem não está interessada...

Mas na verdade enxerga tudo muito bem. Chega a notar até certas particularidades: a corrente do relógio, a cor da gravata, da bengala e até dos olhos. Que mal há em olhar? Para que foi que Deus nos deu olhos? Para olhar, naturalmente. Logo: olhar não é pecado.

Agora a fila de rapazes termina. A rua está movimentada. Os bondes passam, trovejando.

Clarissa:

— Há quanto tempo não ando de bonde!

E a tia:

— Pra que andar de bonde?

Sim, necessidade não há, de andar de bonde. A igreja é perto. O colégio também. Mas não seria desagradável uma corrida de bonde pelos subúrbios. De automóvel, naturalmente, seria melhor. Mas é muito caro. E se a Dudu a convidasse para andar no carro do namorado? Maravilha! Iriam correr pelos arrabaldes, pela beira do rio, a toda a velocidade... Sim, mas a titia não dá licença...

— Titia, a senhora gosta de andar de automóvel?

— Tenho horror. Boto as tripas pra fora. Enjoo como se fosse no mar. Uma ocasião tive de viajar...

Clarissa não presta atenção no que a tia está contando. Porque a palavra *mar* lhe sugere mil pensamentos. Uma viagem em transatlântico de luxo, desses grandes como um que ela viu no cinema... Mas, por pensar em cinema, há quanto tempo também ela não vê nenhuma fita!

— Titia, quando é que vamos ao cinema?

D. Zina está séria.

— Menina — repreende ela —, você agora pegou o costume de não prestar atenção no que a gente conta. Que coisa horrorosa! É falta de educação, sabes? Não ouviu que eu perguntei se o seu pai vendeu sempre o Ford lá na estância?...

— Ah! Sim. Vendeu o ano passado pra o seu Tico Saraiva.

— Então responda e não se faça de tola. Ainda bem que isso aconteceu comigo, se fosse com gente de cerimônia, era uma vergonha. Haviam de dizer que eu não te dou modos.

Passam pela frente dum bar. Lá no fundo, uma orquestra toca um tango argentino muito lânguido. O bandoneon soluça. Pela cabeça de Clarissa passam duas imagens: o organista da igreja (que ela imagina um velho de barbas brancas) e o negro Robustiano, tocador de cordeona. A algazarra do bar chega-lhe aos ouvidos.

Delícia! entrar no bar, sentar a uma mesa:

"Garçom, me traga um sorvete! Uma taça de nata batida com morangos!"

O garçom vem com a bandeja no ar. Na taça de prata a nata batida, branca como cal, toda pintalgada de morangos. E o sorvete de três cores, frio, frio, frio, fazendo doer os dentes, dando uma sensação esquisita na garganta, na língua, na cabeça...

"Garçom, me traga um *ice cream*!"

"Soda ou chocolate?"

"Chocolate."

Clarissa nunca provou. Mas a Dudu já lhe contou tudo. Dudu frequenta bares e casas de chá. Já provou de tudo. Sabe do gosto de todas as bebidas, de todos os sorvetes, de todos os doces. Como Dudu é feliz!

Na frente duma vitrina, d. Zina e a sobrinha se detêm.

— Titia, que encanto!

Por trás do vidro, uma pirâmide de maçãs vermelhas e luzidias, bem no centro. Em prateleiras pequenas enfileiram-se as peras dum verde pálido. Nos quatro cantos da vitrina, pratos de papelão cheios de morangos, felpudos, maduros, corados, em forma de coração. (Clarissa, ao vê-los, se lembra imediatamente dum coração de galinha.) Em cachos fartos, gordas e graúdas, as bananas se empilham em montes irregulares, como mãos fantásticas de dedos espessos. Clarissa olha, deslumbrada.

— Titia! Titia! Que encanto! Eu não resisto...

D. Zina olha, também levemente tentada.

— É que esta crise não está pra despesas. Se o teu pai tivesse vendido o gado... Se eu tivesse toda a casa cheia... Se o Couto...

— Titia, que encanto!

De repente Clarissa abre a bolsa. O seu rosto se ilumina. Estende dois dedos para dentro da carteira.

— Olhe só o que eu achei!

Levanta a mão onde brilha uma moeda de quatrocentos réis. D. Zina tem um ar interrogador.

— Vais gastar?

— Vou.

Entram na casa de frutas. Diante do balcão de mármore, por trás do qual está um homem ruivo, de avental branco, Clarissa para, indecisa. Debate-se-lhe na cabeça um problema difícil.

Para maçã, quatrocentos réis é pouco. Compro morangos ou bananas? Morangos ou bananas?

O homem ruivo pergunta:

— Que desejam?

D. Zina cutuca a sobrinha.

— Vamos, resolve, menina.

Morangos ou bananas? Mentalmente Clarissa sente o gosto de ambos. Os morangos, levemente ácidos, tenros, dissolvendo-se na boca. Com açúcar ficam mais saborosos. Sim, é preferível comprar morangos. E as bananas? Descascadas, ficam branquinhas, moles, pastosas, doces. Quatrocentos réis dariam quase uma dúzia de bananas. Uma dúzia. Doze. Uma pra tia Zina, naturalmente. O resto pra mim... Não, levaria duas para o Tonico. Se o tio Couto também ganhasse, ficaria ela com... — doze menos quatro: oito — oito bananas. Era melhor comprar bananas. Mas outra solução lhe ocorre:

— Quero duzentos réis de bananas e duzentos réis de morangos — diz.

— Só duzentos réis de morangos? — pergunta o homem do balcão, estranhando.

— Só.

D. Zina sacode a cabeça, com um sorriso indulgente, meio envergonhada da infantilidade da sobrinha.

— Esta menina, esta menina... — murmura, sorrindo.

No pacote cor-de-rosa estão as bananas e os morangos.

Na rua, Clarissa lança um olhar de despedida e de desejo para as maçãs. Num quadrilátero de cartolina branca, no meio delas, estas letras: “1$200 cada uma”.

D. Zina pega de novo do braço da sobrinha. O movimento da rua cresce. Autos buzinam. Os guardas-civis, com gestos, dirigem o tráfego. Moleques apregoam os diários. Clarissa acha graça nos vendedores de jornais. Têm uma voz grossa, rouca, disforme, parecem todos papudos, pescoços descomunais, de veias dilatadas. E como pronunciam o nome dos jornais que vendem! Dizem as palavras pela metade. Gritam:

— rrê... dia... amanhã!

Ou:

— Corrê-m’nhã!

— Titia, que engraçados esses guris que vendem jornais!

D. Zina encolhe os ombros:

— Não vejo nada de engraçado. São uns pobres-diabos que desde pequenos andam lutando pela vida. Não são como outros que conheço, que não fazem nada por achar trabalho...

Clarissa sorri.

Isto é com o tio Couto — pensa. — Também, coitado, não tem culpa. Não trabalha porque não acha emprego.

Passam pela frente dum cinema. Os cartazes coloridos chamam-lhe a atenção. Num deles, Clive Brook está beijando Ruth Chatterton. A fita se chama *Perfídia*.

— Titia, que é que quer dizer *perfídia*?...

— Onde é que viste isso?

— Ali no cartaz. O nome duma fita.

Tia Zina faz um gesto de pouco-caso:

— Fitas...

— Mas que é *perfídia*, titia?

— Sei lá!...

D. Zina franze os lábios numa expressão de desinteresse.

Agora estão no ponto mais movimentado da cidade. A rua por onde não transitam veículos está apinhada de gente. Parece um formigueiro agitado. Clarissa esquece a perfídia e o beijo de Clive Brook.

Quanta gente!... — pensa. — Parecem formigas, uns vão daqui pra lá, outros de lá pra cá, de vez em quando param uns na frente dos outros, conversam, depois seguem de novo o seu caminho. Bem como as formigas... Se as cigarras viessem pedir comida a estas formigas, elas responderiam:

"Que fizeram vocês durante o verão?"

"Cantamos..."

"Cantaram? Pois dancem, agora."

Como são más as formigas!

De súbito Clarissa sente que a empurram. Que susto! Chocou-se com um senhor gorducho, que se desfaz em desculpas, tirando o chapéu, muito pálido.

— Estúpidos! — resmunga d. Zina. — Não enxergam quem vem na frente!

Dois segundos mais, e Clarissa esquece o incidente. Os seus olhos dançam, curiosos, encantados. As pessoas passam por ela, ela passa pelas pessoas. Umas riem, outras estão sérias. Caminham rápidas, brilham um instante, somem-se depois. Bem como uma fita de cinema. Clarissa mal lhes pode perceber as feições.

Agora num grupo vêm ali na frente quatro moças: uma tem uma blusa cor de salmão, a outra é morena de olhos graúdos, a terceira é baixa e está de vestido branco... E a outra? Some-se o bando. Agora passa um casal. Ele, alto e magro. Ela, baixa e parecida com uma gatinha.

Clarissa vai como num sonho, encantada com aquele espetáculo numeroso e variado.

— Tomara que isto não acabe!

O rumor de vozes não cessa, é confuso, festivo, estrídulo. E passam cores, caras, vestidos, chapéus, gravatas. Sorrisos de dentes brancos, gestos, perfumes. Clarissa sente como uma tontura.

Tia Zina lamenta:

— Antes a gente tivesse ido por outra rua. Isto é uma coisa horrorosa! O movimento me deixa tonta!

Horrorosa? — estranha Clarissa.

Deliciosa, pelo contrário, deliciosa!

Agora entram numa rua mais sossegada. Clarissa não resiste à tentação: abre o pacote róseo.

— Não coma na rua, menina!

— Não aguento mais, titia.

Dilacera o papel, sôfrega, e começa a comer os morangos.

— Que coisa horrorosa!

Os dentes de Clarissa trincam a polpa tenra.

— Maravilhosos, titia, maravilhosos!

D. Zina, escandalizada:

— Tu não tens modos, mesmo.

Pelos cantos dos lábios de Clarissa escorre o sumo rosado dos morangos.

18

Tardinha.

D. Eufrasina está no jardim regando as flores. O regador de lata, pintado de verde, com uma lista vermelha, despeja sobre os canteiros uma chuva d'água fresca.

O major, sentado no banco, faz um cigarro: com a mão direita amassa o fumo picado no côncavo da mão esquerda, a palha presa entre os dentes.

Pelo portão entra Nestor. Vem gingando, braços no ar, sorriso satisfeito.

— Alô, dona Zina! Alô, major!

— Boa tarde!

Tia Zina sorri.

— Buenas, rapaz!

A voz do major tem um tom cordial. Em duas passadas largas, Nestor sobe a escada e entra na casa, cantando.

— Moço alegre... — comenta o velho Pombo.

Tia Zina, que agora está molhando o canteiro dos cravos, diz:

— Muito alegre. Alegre demais. Aposto que agora ele vem do clube de regatas. Vive remando, jogando futebol e aquele outro jogo que se chama boque, roque ou coisa que o valha.

— Hóquei — corrige o velho Pombo. — Agora é o jogo da moda.

— É isso. Mas, como eu ia dizendo... alegre demais. Não estuda. Faz cinco anos que está pra tirar os preparatórios. Leva bomba em todos os exames.

O major solta uma risada franca.

Ouvem-se, vindas do outro lado do muro, as lamentações de Tonico:

— Tatá! Tatá! Não tem mais sol, vem me buscar!

D. Zina, sorrindo, olha com amor para as suas flores:

— Veja, seu Nico, veja como está bonito o meu jardim. Estes cravos foram plantados o ano passado...

O major sacode lentamente a cabeça, num louvor mudo. D. Eufrasina continua:

— E aquela danadinha ali — (aponta para uma roseira de rosas vermelhas) — me deu um cuidado do inferno. Uma coisa horrorosa! Imagine o senhor que cheguei a passar noites quase em claro, pensando nela.

— Veja só...

O major enrola o cigarro, silencioso. Na rua passa um amolador de facas, tocando o seu firuli sonoro. D. Zina lembra-se de repente que precisa afiar as suas facas:

— Cht! — chama. — Olhe aqui, homem!

No meio da rua, o amolador estaca.

— Venha cá. Tenho serviço pra você.

Voltando a cabeça para o lado da casa, berra:

— Couto! Ó Couto!

Faz para o amolador um sinal que quer dizer “espere um pouquinho”.

O major tira do bolso a caixa de fósforos e acende o cigarrão espesso.

— Couto! Belmira! Couto! Clarissa!

Na janela da sala de visitas assoma a cabeça de Clarissa.

— Que é, titia?

— Vá lá dentro e peça pra Belmira as facas que estão precisando de fio. Não esqueça a grande, da cozinha.

Na rua, o amolador torna a tocar o seu firuli enjoativo e preguiçoso.

Cabeça para trás, mãos nos bolsos, o major dá chupões fundos e repetidos no cigarro, soltando pelo nariz baforadas de fumo.

— Se Deus quiser, pro ano vou plantar violetas.

— A minha flor predileta — informa o major.

Clarissa desce as escadas, com um monte de facas na mão.

O amolador aproxima-se.

— Tome — diz d. Zina, entregando-lhe as facas. — Quero um servicinho benfeito.

— Não tê dúvida, patrona!

— Espere!

A testa de d. Zina se franze. Sua testa tem uma ruga de preocupação.

— Vamos ver por quanto me faz o serviço.

— Barato, patrona, barato...

— Não, não, não... Vamos tratar o preço.

O amolador hesita, pensa. Depois:

— Mil-réis cada una.

— Cruzes! Um pila cada faca! Que coisa horrorosa, homem! Deixe mais barato.

— Novecento réis...

— Ainda é muito...

— Otocento...

— Não serve... Menos.

— Setecento...

— Só pago seiscentos. São doze... Veja...

O amolador tem um sorriso amargo:

— Seiscento no dá...

— Então, passe as facas pra cá...

O major ri:

— Esta dona Zina é uma financista de primeira ordem!

O amolador está indeciso. De repente, encolhendo os ombros e fazendo com os braços um gesto de desalento, concorda:

— Bene... come a signora é fregueza... io dexo por seiscento...

E leva as facas.

— Clarissa, está na hora do banho! Vá, antes que o banheiro fique ocupado! Daqui a pouco chega o seu Amaro, o seu Barata, o judeu e hão de querer um banho...

Agora o tio Couto vem descendo para o jardim, calmo, ar sonolento. A sua cara ossuda — maçãs salientes, barba azulando, bigodão eriçado — ganha um tom amarelo e doentio, batida pelo sol da tarde.

A mulher não se contém:

— Ó Couto — diz, com ar irônico —, quando eu quiser mandar buscar a morte, quem vai me fazer o obséquio és tu, sabes?

O major volta a cabeça, sorrindo. Tio Couto não se perturba, nem altera o passo.

— Vamos ver um fuminho, major — pede. — Estou ardendo por um crioulo...

O major passa-lhe um rolinho de fumo. Tio Couto apalpa os bolsos.

— Tem canivete também, major?

O major dá-lhe o canivete. Tio Couto começa a picar fumo. Olha para o céu:

— Bela tarde! Sim senhor, bela tarde!

O major concorda, com um sinal de cabeça.

— Faz tempo que não temos chuva... — observa. — É uma primavera comportada, esta. Pouco vento, tempo firme...

Com voz lenta e pastosa, o tio Couto vai dizendo à toa:

— É verdade... é verdade...

O amolador afia as facas. Pedala furiosamente na sua engenhoca encardida. A mó gira que gira. A lâmina da faca, em contato com a pedra que rodopia, rechina agudamente. Saltam chispas.

Clarissa olha o trabalho do amolador. Aquilo parece até um conto de fadas. Lembra a história do ferreiro que batia na bigorna de prata, com martelo de ouro, fazendo saltar estrelas, estrelas que voavam para o céu e ficavam pregadas para sempre no azul. Foi assim que nasceram as estrelas que hoje vemos, à noite — conta a lenda.

— Tem aí uma palhinha, major?

Condescendente, o major dá uma palhinha ao tio Couto.

— Ó Couto, não queres também beiço pra fumar? — pergunta-lhe a mulher com um sorriso malicioso.

Tio Couto alisa a palha com a lâmina do canivete, imperturbável. Como se não tivesse ouvido a observação irônica, olha outra vez para o céu:

— Linda tarde... — diz — linda tarde...

O major sacode a cabeça, lentamente.

Clarissa inclina-se sobre o canteiro, ajoelha-se no chão. O areão fere-lhe os joelhos. Agora ela começará a observar bem de perto uma margarida cor de ouro. Nas pétalas, que parecem de veludo, insetos minúsculos caminham. O vento sacode as corolas, e as flores deixam cair o pólen dourado que polvilha a relva verde. E os cravos? Vermelhos, perfumados, com manchas mais claras e mais escuras. Oh, que vontade de morder as flores, trincar-lhes os caules verdes, os cálices, as pétalas, como se fossem frutas. Deus devia ter feito as coisas de tal maneira que a gente pudesse comer as flores, as pedras, a relva... Assim, nunca ninguém passaria fome.

O amolador trabalha com entusiasmo. A mó rola. As facas chiam. Saltam faíscas e estrelas.

Amaro surge ao portão. Entra, de chapéu na mão, cabeleira revolta, encolhido, encurvado, manso, os olhos baixos:

— Boa tarde! — diz, com voz macia.

Todos respondem:

— Boa tarde!

E ele passa. O areão range sob seus pés. Até a sua sombra é triste sobre o chão.

A porta da casa engole o vulto insignificante.

Outra vez vem à mente de Clarissa o pensamento:

Todas as pessoas têm um mistério. Todas as pessoas têm um segredo.

No portão quem aparece agora é Maurício Levinsky. Entra apressado, chapéu puxado para a nuca, livro debaixo do braço.

— Boa tarde para todos!

O major, curioso, pergunta:

— Que livro é esse, seu Levinsky?

O judeu se detém e mostra o livro. *A doutrina*, de Marx. O major sorri. Tio Couto, soltando uma baforada de fumo, provoca:

— Não acredito que a doutrina de Marx possa salvar a economia do mundo.

O judeu se transfigura. Levanta no ar o livro de grandes letras vermelhas; com a mão espalmada bate-lhe repetidamente na capa, enquanto vai dizendo:

— Esta é a Bíblia do homem moderno, só o comunismo poderá salvar o mundo! Só o comunismo.

O major solta uma risada prolongada.

— Qual! Qual! — diz.

O tio Couto evoca a Rússia.

— Stalin, esse monstro sanguinário...

O judeu põe-se na ponta dos pés, agitado:

— Quem foi que lhe disse que Stalin é monstro? Isso é o fruto da propaganda anticomunista! Mentiras!

— O plano quinquenal foi um fracasso. O sistema soviético está falido... — afirma o marido de d. Eufrasina.

O judeu tem no rosto um sorriso de desprezo. Cruza os braços e fica a sacudir a cabeça dum lado para outro.

— Não me diga isso, senhor Couto, não me diga isso...

O major se ergue, conselheiral. O dedo indicador unido ao polegar, formando um círculo, fala:

— O comunismo não é de todo mau. Eu não concordo é com os excessos. Essa coisa de tocarem na religião, não está direito... Agora, quanto ao...

O judeu interrompe-o, brusco:

— Mas, meu caro major, o senhor deve compreender que no sistema atual as coisas não estão direitas...

— Ora, ora...

Levinsky, com o livro numa das mãos e o chapéu na outra, explica:

— Temos aqui vários exemplos dos erros do nosso regime... Aqui do lado — (aponta para a casa de d. Tatá) — mora uma pobre viúva que trabalha todo o dia e toda a noite e que não tem dinheiro nem para comprar leite para o filho doente...

Faz uma pausa curta, sacode a juba. Depois, apontando para a casa do outro lado, exclama, num tom teatral:

— Pois ali naquele palacete mora um homem rico, que tem dinheiro no banco, que tem muitos filhos que andam bem-vestidos e bebem bastante leite. Um homem que tem uma casa rica cheia de quadros, de vasos, de tapetes, de rádios, vitrolas, gatos, cachorros. Agora eu pergunto: isso está direito? Isso é justo?

— É, sim senhor — afirma o tio Couto com firmeza. — O mundo é assim mesmo. Cristo já disse que pobres sempre os haverá.

— Mas quem é Cristo? — pergunta Levinsky com desprezo.

D. Zina cresce para o hóspede:

— Isto agora é demais, seu Levinsky. Eu gosto muito do senhor: é um rapaz direito, trabalhador, estudioso... Mas na religião não admito que toque, não admito...

O judeu se encolhe.

— Melhor não discutir...

O major pontifica:

— Religião, política e amor não se discutem...

— Perfeitamente... — concorda o tio Couto.

— Então... com licença — diz o judeu, caminhando para dentro de casa.

Clarissa está deliciada. O amolador pedala furiosamente: a engenhoca se desconjunta, range, parece que se vai desmantelar.

— Que diz duma partidinha de gamão pra esperar a boia? — pergunta o tio Couto.

O major inclina a cabeça para um lado.

— Homem, não seria mau...

Dirigem-se para casa.

Tia Zina, arrancando dum canteiro uma erva daninha, grita:

— Vá pro banho, Clarissa.

— Sim, titia.

Da mó, que gira e regira afiando as facas, saltam ainda chispas miúdas, bem como da bigorna do ferreiro mágico que forjou as estrelas.

19

Fresca do banho, cabelos molhados, Clarissa brinca no jardim com as crianças da casa vizinha. São quatro. Com Luzia seriam cinco. Mas negro não entra na conta.

Clarissa conta-os com o dedo:

— Um, dois, três, quatro! Quatro!

Fica com o indicador espetado no ar, rindo. Luzia arreganha os beiços grossos, mostrando a dentadura branquíssima.

Seus olhos grandes são um espanto permanente.

— Você sempre de canjica de fora, hem, Luzia?

— Ué, canjica, dona Crarísssia!

O sol lhe dá um tom pardacento à carapinha.

— Como se chama esta?

Luzia fica séria, os olhos chispam, a beiçarra cai.

— Esta chama Ana Maria.

— E este?

— Este, Tranquedo.

— E esta?

— Esta é home. Todos em casa chamo Bolinha.

— E este?

— Zuza.

Luzia sorri. Vendo-lhe os dentes esmaltados na cara pretusca, Clarissa pensa no teclado do piano preto da sala de visitas.

Clarissa junta as mãos, contente. Agora pode ver de perto, apalpar, beijar estas crianças bonitas, coradas, que ela sempre espia de longe, por cima do muro, brincando no jardim da casa rica. Luzia os trouxe furtivamente para o jardim da pensão.

— Se o pai deles sabe, me surra...

Luzia franze a testa, apreensiva. Os lábios grossos se apertam, escondendo a dentuça. Fecharam o piano — pensa Clarissa.

— Surra por quê? — pergunta.

Ela não compreende... Que mal faz trazer as crianças para uma casa vizinha, para brincarem ali por uns instantes? Vão perder algum pedaço? Aqui ninguém é bicho.

A negrinha explica:

— Eles não querem que os guris vão na casa dos otro...

No rosto de fuligem, as jabuticabas graúdas e lustrosas dos olhos se agitam, mais escuras ainda.

Ajoelhada sobre a relva, braços caídos ao longo do corpo, mãos espalmadas sobre as coxas, Clarissa olha para os pequenos. Seu olhar salta de um para outro.

Ana Maria fala em surdina com a sua boneca de louça. Bolinha, sentado, tenta esmagar com o dedo minguinho uma formiga que passa por entre a relva, carregando um pedaço de folha seca. Muito rosado e luzidio, parece uma flor que brotou ali no meio da relva verde do canteiro.

Afastado do grupo, língua de fora, cabeça baixa, Tancredo despetala com grande cuidado um malmequer. O Zuza faz beiço e reclama impertinente:

— Eu quero i si'mbora. Eu quero!

A mão de Clarissa acaricia-lhe a cabeça:

— Ora, Zuza, fica só um pouquinho. Agora a gente vai brincar de roda. Sim?

Zuza baixa a cabeça a torcer, zangado, a ponta do avental branco onde, pintados a óleo, um urso e um palhaço brincam. Da blusa de mangas curtas emergem dois braços gordos, fofos, roliços, que se dobram em pregas de gordura. Zuza tem um ar agressivo, truculento.

— O Zuza é muito brabo — Luzia esclarece. — Todos chama ele Capitão Mata-Sete.

Clarissa ri, interessada:

— Que engraçado! Capitão Mata-Sete! Por quê?

Outra vez rebrilha a dentuça branca.

— Ele briga com todo mundo, quebra prato, toca garfo nos otro...

Ana Maria sacode a cabeça loura. Os cachos encaracolados se agitam. Com uma vozinha sumida ela diz:

— Hoje ele jogou uma faca ni mim...

Clarissa, fingindo zanga, pega o Zuza pela cintura:

— Então, seu valente? É verdade que você jogou uma faca na sua irmã?

Os olhos de Zuza se entrecerram, seus lábios se encrespam, todo ele é um desafio quando diz:

— Zoguei, zoguei, zoguei! Pronto!

Bate com o pé, levanta o braço para agredir.

Luzia salta.

— Baixa a mão, Zuza! Oia que eu vou contá pra tua mãe.

— Não tenho medo dela!

O Capitão Mata-Sete cruza os braços. No rosto redondo há uma expressão indescritível de desprezo.

Os olhos de Luzia dançam.

— Vou dizê pro Bicho-Tutu que venha te pegá.

— Eu mato o Bicho-Tutu!

Clarissa está como que embriagada. Tudo isto parece um sonho: um conto de fadas. Que bom ter aqui ao seu lado estas crianças todas que nunca lhe chegaram ao alcance da mão, que viviam longe e inatingíveis, como a Lua, como as estrelas... Agora pode vê-las de perto, ouvi-las. Conhece Ana Maria, a de voz doce, que acalanta a boneca como uma mãezinha. Conhece Bolinha, que ainda não fala mas sabe dizer "Uuuuuuu!", enquanto a sua mão minúscula desliza sobre a grama, à caça dos bichinhos diante dos quais ele é um gigante. Conhece o Tancredo, com o seu ar concentrado de menino precoce, o Tancredo, que não gosta de falar, que dilacera as flores para ver o que elas têm dentro. Conhece o Zuza, o valente, o impávido Capitão Mata-Sete.

Luzia encosta-se ao muro caiado.

Clarissa tem a impressão de que a negrinha é uma dessas figuras que se veem pelos muros, pintadas a carvão. Lembra-se dum cartaz que viu certa vez na rua: uma preta vestida de vermelho que anunciava uma marca de chocolate.

No jardim a sombra avança. O horizonte está todo pintado de vermelho e amarelo. Lá dentro de casa a Belmira cantarola uma valsa antiga. As vidraças chamejam, batidas pelo último sol. Um vento manso sacode de leve as flores, bole na folhagem dos plátanos, morno.

— Vamos brincar de roda?

Tancredo se aproxima, olhos vagos. Ana Maria bate palmas.

— Vamo brincá de canoa-virô?

Clarissa com os olhos consulta os outros.

Ana Maria protesta:

— Canoa-virô é enjoado. Vamo brincá de viuvinha-bota-luto.

Cabeça baixa, Zuza torce e retorce o avental branco, onde o palhaço de vermelhão pega no rabo do urso ruivo.

Debruçado à janela da sala de visitas, Amaro olha para fora.

Tem o olhar tão fixo num ponto, seu rosto traduz um tal sentimento de surpresa e de contentamento, que se diria estar acontecendo um milagre no jardim da pensão da d. Zina.

Amaro olha, olha, não cansa de olhar.

A roda está formada. Um jogo de cores. O vestido verde de Clarissa, os seus cabelos negros e lustrosos, a sua pele morena, o traje laranja e branco do Zuza, o vestido cor de morango de Ana Maria, a roupa azul de Tancredo, o rosto escuro de Luzia, no meio dos outros rostos claros.

E a relva, as flores, a tarde...

A roda gira. Vozes suaves cantam num coro deliciosamente desafinado:

Viuvinha, bota luto,
Teu marido já morreu.
Se é por falta de carinho,
Viuvinha, cá estou eu.

No meio da roda — Ana Maria, ar cândido, olhos baixos, dedo polegar apertado entre os lábios. Bolinha gira também pela mão de Clarissa e de Luzia. Mal se pode suster nas perninhas bambas, que se arqueiam. Está sério. Fecha a boca em botão, num esforço comovente para acompanhar o canto. E faz:

— Uuuu.

Do meio do coro, de quando em quando se alteia, guinchada, sem música, a voz metálica do Capitão Mata-Sete.

A tarde é tépida. O ar, macio. A sombra da casa quase que já cobriu todo o jardim.

Amaro sonha...

Era uma vez uma infância que ficou lá atrás, perdida e sem brilho... Era uma vez um homem triste que não tinha parentes, nem amigos, nem mocidade...

Zuza resvala e cai. Tumulto: gritos, palmas, risos. A um canto, sobre a relva, a boneca de Ana Maria está deitada, olhos fechados. As formigas lhe passeiam sobre o rosto pintado.

Amaro está deslumbrado. Enfim, a vida tem momentos brilhantes que compensam a dor de viver. Lá fora os homens se acotovelam e agridem, se dizem palavras duras e se odeiam. Mas aqui há agora algo de puro e de fresco. Seis almas que vivem o minuto milagroso da infância, no meio das flores.

Uma sombra anuvia o semblante de Amaro. Porque o minuto milagroso vai passar. E amanhã, que surpresas virão?

Amaro se volta quase automaticamente: na sala de visitas cheia de sombra, o velho piano negro é uma sombra ainda mais negra.

Amaro aproxima-se dele.

Seus dedos magros esfrolam o teclado, que reluz tibiamente. Uma música sutilíssima flutua no ar. É o motivo do jogo infantil:

Viuvinha, bota luto...

Amaro senta-se ao piano. Os dedos dançam sobre as teclas. A aragem bafeja os rostos das crianças. As folhas farfalham, Amaro se transfigura. O velho piano vibra, em notas agudas, dissonantes algumas. São as crianças que gritam. Outra vez o motivo da viuvinha. Luzia ri forte. O Capitão Mata-Sete guincha. A voz de Clarissa se eleva sobre todas. Clarissa, fresca do banho, vestida de verde, olhos abertos para o mistério da vida...

Amaro fecha o piano. Ergue-se, sentindo-se mais feliz. Enquadrado pela porta que dá para a sala de jantar, surge um vulto.

— Então... Está inspirado?

É o Zezé, tímido, voz fraca, mãos enlaçadas.

— Estava tentando uma composição...

Na meia-luz coruscam os óculos do estudante de medicina.

— Gosto muito da música. Tenho paixão pelo piano, o senhor nem imagina...

Amaro sacode a cabeça, num gesto de compreensão.

— Seu Amaro, estou convencido de que errei a vocação...

Zezé suspira.

Lá fora os gritos se extinguem. As lâmpadas da rua se acendem.

No portão, ereta, cara fechada, uma mulher magra olha fixamente para Luzia.

— A senhora não sabe quais são as ordens do patrão?

Luzia baixa a cabeça. A beiçarra treme. Ana Maria tem os olhos dilatados pelo susto. Tancredo, o olhar vago, faz rolar um seixo entre os dedos.

A mulher magra fala de novo, áspera:

— Traga já as crianças para casa!

Uma pausa. Depois, mais violenta ainda:

— Já! Já!

Luzia pega na mão de Ana Maria e ergue Bolinha nos braços.

Clarissa, atarantada, olha tudo em silêncio, sem um gesto. A mulher numa rabanada entra no jardim, toma Zuza pela mão, brusca.

— Não quero! — protesta o Capitão Mata-Sete.

Atira-se ao chão. A mulher tenta agarrá-lo pela cintura: Zuza esperneia, grita, fica vermelho, funga, cospe, desfere pontapés para todos os lados. Tancredo se esgueira para o portão.

A mulher magra carrega por fim o Mata-Sete.

A visão bonita se apaga num instante.

O olhar de Clarissa agora é melancólico. (O jardim está silencioso, como um ninho deserto.) Ainda lhe soam ao ouvido as vozes frescas:

Viuvinha, bota luto.

Na porta da casa aparece tia Zina:

— Venha jantar, minha filha!

Clarissa se ergue devagar. Com passos lentos, quase sem sentir, se dirige para a escada. Vai pensando em mil coisas... Não pode esquecer o Zuza com o seu ar truculento, as suas bochechas gordas, os braços carnudos.

Imagina-o herói de contos de fadas, como o Pequeno Polegar, como o anão que matou o gigante. Num relâmpago vê a história toda.

Pela floresta escura onde os pássaros cantam, marcha o Capitão Mata-Sete. As botas lhe vão até as coxas. Espada na cintura, chapéu de plumas que se agitam ao vento. A floresta, povoada de lobos, cobras, gênios maus e bruxas. Mas o Capitão Mata-Sete avança impávido. Os gravetos estralam sob os tacões de suas botas. As flores se inclinam, numa reverência, quando ele passa. Testa franzida, punhos cerrados, passos duros, o Capitão Mata-Sete atravessa a floresta encantada... Não tem medo de ninguém. Um-dois! Um-dois! Um-dois!

— Que é isso, Clarissa?

Clarissa desperta. No alto da escada a tia gesticula.

— Estás louca? — pergunta.

— ?

— Vens marchando como soldado, falando sozinha, resmungando como velha caduca...

Na casa rica da vizinhança agora todas as janelas estão iluminadas. Onde ficará o quarto das crianças? Que cor terá a cama de Ana Maria? Como serão os livros do Tancredo? E o berço do Bolinha? Quantos pratos o Capitão Mata-Sete quebrará hoje ao jantar?

Clarissa entra. A sala de refeições já está cheia.

Nestor vem descendo as escadas, assobiando, fazendo barulho com os pés, jogando os braços para os lados, estabanadamente.

Ondina se volta toda para ele, num sorriso. Barata tem a cabeça inclinada sobre a mesa. O major conta uma história engraçada a d. Glória, que ri perdidamente, deixando visíveis as gengivas cor de coral. A Belinha devaneia, olhos em branco, mãos coladas à face direita. O tio Couto come pacientemente suas batatinhas fritas, feitas no azeite especialmente para ele, pois sofre do fígado. Gamaliel, cabeça baixa, mãos entrelaçadas, pede a bênção de seu Deus. Zezinho, muito pálido, pede um mingau de maisena: está de dieta, outra vez o maldito estômago.

— Meta bicarbonato! — aconselha o major.

— Tome ervas do campo, moço — aconselha d. Glória.

Zezinho agradece.

Mas onde estará Amaro? Ouve-se agora o som fraco dum piano.

Clarissa senta-se à mesa. Os pratos de ágata brilham: dentro deles se reflete o lustre da varanda. A toalha de xadrez vermelho tem manchas de café. Os talheres fulguram. Clarissa levanta o garfo. No cabo de metal claro o seu rosto se reflete, disforme:

Se eu fosse assim...

Agora a música do piano está mais nítida. Não há dúvida: é Amaro que está tocando. Clarissa presta atenção. O murmúrio das conversas a impede de ouvir com nitidez. Mas se podem distinguir bem as notas. É a "Viuvinha, bota luto". Clarissa sorri.

Olha para a sala, passeia o olhar em torno:

Todos grandes — pensa —, todos crescidos. Nenhum pequerrucho gordo como o Capitão Mata-Sete...

A voz de d. Zina se alteia:

— Belmira!

— Senhora?

— Vá perguntar se o seu Amaro não quer jantar, hoje.

Belmira sobe as escadas.

O major comenta:

— Esse moço parece que se alimenta com música...

Boca cheia de comida, tio Couto acrescenta:

— E, se ele continuar assim nessa magreza, qualquer dia desencarna...

— Coitado... — diz tia Zina — tão bom moço...

E Clarissa pensa também, enternecida:

Coitado!

20

Venta.

No quintal a poeira sobe em redemoinho, carregando pedaços de papel, folhas, panos, gravetos, cisco... Portas e janelas batem. Uma bacia tomba e fica matraqueando longamente no lajedo, como um sino de alarma.

E o vento assobia, sopra forte, despetala as flores, levanta a poeira e move pesadas nuvens no céu.

— Belmira! A janela do quarto do major! Depressa!

D. Zina dá ordens, afobada. Tio Couto fecha a porta da frente.

Rosto colado à vidraça da janela do quarto, Clarissa olha para fora. No quintal da casa de d. Tatá, as roupas que estavam penduradas na corda voaram todas: giram agora pelo quintal, espetam-se nos galhos das árvores, rolam pelo chão, colam-se ao muro, rodopiam nos redemoinhos. Mais além, noutro quintal, uma mulher gorda vai recolher a roupa que estava corando ao sol. O vento levanta-lhe a saia. Por um instante lhe aparecem as pernas morenas e gordas onde escurejam manchas.

Um cachorro a seu redor pula, a latir desesperadamente. As árvores farfalham, se desnastram e vergam. O céu está todo coberto de nuvens cor de chumbo. O vento continua a uivar.

A poeira sobe, avermelhada, tênue, transparente, chega à altura das casas, vai mais alto ainda. Longe aparece o rio todo revolto, em ondas crespas. Os cirros ficam quase invisíveis na distância, de tão turvo que está o ar.

Dentro de alguns minutos o vento cessa. Troveja demoradamente. Tremem as vidraças.

Os lábios de Clarissa se movem, trêmulos, seu coração bate com mais força.

— Santa Bárbara, são Jerônimo!

Com uma sensação aflitiva no peito, ela caminha para a cama, deita-se de borco e fica imóvel, rosto mergulhado no travesseiro, mãos juntas comprimidas entre os seios e o colchão. O travesseiro cheira a macela-do-campo. É fresco e macio. Clarissa sente uma lassidão boa, uma vontade de dormir, dormir... Agora um ruído tamborilante e seco lhe chega aos ouvidos.

— Chuva?

Ergue-se de repente, vai à janela, encosta outra vez o rosto à vidraça.

Chove. Pingos grossos caem do céu, pesados, destacados, nítidos, se espatifam contra os telhados, contra as paredes, contra o chão num plaf mole e sonoro.

Clarissa abre a janela. Uma onda de ar fresco lhe bate no rosto, invade o quarto. Chega-lhe às narinas um cheiro de terra molhada. Respira com força. Lembra-se de certo dia, lá fora, na estância. Foi no forte do verão. Não caía chuva havia muitas semanas. O pasto secava. Os bois andavam magros. Mamãe vivia na frente do oratório, acendendo velas aos santos, rezando para que Deus lhe mandasse água. E uma tarde, quando menos se esperava, desaba um aguaceiro forte, fazendo chiar a terra ressequida, limpando as paredes empoeiradas, molhando os campos, enchendo os lajeados, as sangas, as lagoas... Clarissa ficara toda a tarde olhando a chuva... Tinha sentido um cheiro bom de terra úmida, bem como este que sente agora...

Suspira. Saudade... Saudade da estância, da mãe, do pai; até das criadas. Saudade da vaca Mimosa, que decerto a esta hora pasta mansamente perto da casa. Saudade das tardes de sesta, em que o papai ronca num quarto, de papo para o ar, enquanto mamãe dá ordens na cozinha e o campo rebrilha no mormaço. Saudade das noites claras, depois da janta, quando todos vão olhar o luar do alpendre e fazer horas para dormir... Saudade do Sultão, que late e que uiva quando chega gente estranha gritando "óóóóó de casa!". Saudade das manhãs douradas, em que se bebe leite tépido e espumante na mangueira, ao pé das vacas, que têm um cheiro morno e adocicado. Saudade de tudo...

Clarissa caminha para a varanda. Abre a gaveta da cristaleira e tira dela um bloco de papel, tinta e caneta. Senta-se junto a uma das mesas. Abre o bloco, molha a pena no tinteiro e, caneta suspensa, olhos no teto, pensa...

Queridos pais:

Suspira.

A chuva bate na vidraça, a água escorre pelos vidros. Na cozinha sia Andreza acende o fogo para o café da tarde. Tia Zina, mangas arregaçadas, rala coco para fazer o doce da sobremesa. Clarissa enxerga a cozinha pelo desvão da porta. As lascas de coco, muito brancas, saltam do ralo e se amontoam no prato.

Clarissa baixa os olhos, pensando nos deliciosos doces de coco da tia Zina. Continua:

Estou com uma saudade tão grande de vocês

Deve botar ponto de admiração, ponto final ou três pontos? Não tem importância. Lá vai... uma admiração. Fica mais bonito. A professora de português disse que o ponto de admiração indica uma exclamação, serve também para dar mais força ao que se escreve. Pois bem. A saudade é uma coisa forte, muito forte mesmo.

Estou com uma saudade tão grande de vocês!

E depois o pai e a mãe não reparam, nunca estiveram em escola secundária, não fazem caso da gramática...

Felizmente agora as férias estão pertos.

Pertos ou perto? Caneta na boca, olhar vago, Clarissa procura solução para o problema. Por fim decide escrever — perto.

Segue:

A tia Zina e o tio Couto vão bem e mandam muitas lembranças... O tio Couto, coitado...

Sorri. Couto coitado... Que figura é esta? Que vício de linguagem? Cacófato? Não. Porque não forma nome feio. Couto coitado... Pleonasmo? Também não.

... O tio Couto, coitado, ainda não arrumou emprego. E o senhor, papai, já vendeu o gado? Tenho tirado muitas notas boas, no exame só tenho medo da aritmética, mas, se Deus quiser, e a Virgem Santíssima, hei de sair aprovada se não cair regra de três composta, porque simples eu sei bem...

Isto tudo lhe sai dum jato. E agora que dizer? Ocorre-lhe, de súbito, uma lembrança:

Faltam só quinze dias para o meu aniversário, estou muito satisfeita, a tia Zina prometeu fazer montanha-russa, aquele doce que eu gosto... Fiquei muito contentíssima porque a senhora, mamãe, deu licença para eu botar sapato de salto alto quando fizer quatorze anos.

Clarissa levanta a caneta e olha com ternura para o que escreveu. A chuva lá fora está mais forte. Ouve-se o tamborilar da água nas folhas do arvoredo, no telhado, nas pedras, no chão. Outra vez o vento.

Está chovendo muito hoje. A tia Zina está fazendo doce de coco para o jantar e o tio Couto está no quarto lendo os jornais. Os hóspedes estão quase todos na rua. O seu Amaro, aquele moço que eu falo sempre nele, muito bom, está no banco. O seu Barata anda viajando pela fronteira. O Nestor, o louco que não para quieto, entrou agorinha mesmo e foi lá para cima cantando.

Manso, silencioso, Micefufe se esgueira por entre as cadeiras, e roça pelas pernas de Clarissa.

Quando terminarem os exames, quem é que vem me buscar? Que bom se fossem os dois!

— Belmira!

É a voz da tia Zina. Outra voz abafada (da sia Andreza), rouca e dura, responde do fundo da cozinha:

— A Bermira foi lá na venda comprá açucra...

— Clarissa?

Clarissa ergue-se:

— Que é, titia?

— Vá ver se estão fechadas as janelas do quarto do major. Eu desconfio que aquela mulata safada não fechou como eu mandei...

Levemente contrariada, Clarissa obedece. Tem de interromper a carta. Quando voltar, decerto perdeu a disposição de escrever. Que importância pode ter uma janela aberta? Molhar alguma coisa? Que grandes coisas terá o major no seu quarto?

Clarissa sobe a escada de mansinho, lenta, segurando o corrimão lustroso. O tapete abafa-lhe os passos.

Um, dois, três, quatro degraus — essa titia tem cada ideia —, cinco, seis — naturalmente a janela está fechada, trabalho perdido —, oito, nove — inda faltam sete —, dez, onze, doze... — agora dobrar à direita, dois passos, e recomeçar na continuação da escada — treze — credo! número de azar... —, quatorze, quinze...

Chega-lhe aos ouvidos um rumor abafado de vozes. No alto da escada, Clarissa volta-se para a direita. No fundo do corredor sombrio, recorta-se o retângulo claro duma janela. Um vulto imóvel. Clarissa tem um sobressalto, fica parada, olhos fixos na sombra misteriosa. A sombra se agita. Agora ela vê melhor: são dois vultos... Dois vultos que... Não é possível! Arregala os olhos... Sim, não há dúvida... Duas pessoas que... — mas será verdade? — duas pessoas que se beijam... Belinha e a mãe? Ondina? Naturalmente Ondina. Mas o marido dela não está em casa...

De súbito os dois vultos se separam, rápidos. Um deles caminha para a zona de luz. Clarissa sente um baque no coração. É Ondina... Na sombra o outro se movimenta. Clarissa quer dizer alguma coisa mas não pode... O espanto a imobiliza. O outro... — santo Deus! — o outro é Nestor. Clarissa está estonteada, sem compreender. Nestor e Ondina... abraçados, colados num beijo prolongado? Mas então... e o Barata? Ondina não é esposa do Barata? Boca aberta, mãos enlaçadas, Clarissa olha, não querendo compreender.

Ondina cantarola, disfarçadamente arranjando o cabelo. Nestor pigarreia, conserta o nó da gravata, puxa da cigarreira, tira um cigarro. Até a explosão fraca do fósforo que se acende faz Clarissa estremecer.

A chama brilha por um instante, ilumina o rosto sereno de Nestor, e se apaga depois, deixando no ar apenas um fumo azulado.

— Queres alguma coisa, Clarissa?

A voz de Ondina é natural, sem o menor temor, como se nada tivesse acontecido.

A custo Clarissa consegue balbuciar:

— Não... Nada.

Volta-se. O coração bate-lhe desordenadamente.

Vai agora descendo as escadas, passo rápido, perdida em meio dos pensamentos mais desencontrados.

Nestor... Ondina... Barata... Clarissa acelera o passo, quase corre, desce os degraus de dois em dois. Tem a impressão de que a perseguem, de que a querem matar.

Na sala de refeições detém-se ofegante. Olha para a carta que começou a escrever:

Estou com uma saudade tão grande de vocês!

As letras lhe dançam sob os olhos, baralhadas, trêmulas. E, por uma estranha associação de ideias, em lugar do papel do bloco, Clarissa vê uma folha de jornal, uma folha de jornal que um dia, há muito tempo, ela leu e guardou no fundo da memória, uma folha de jornal que relatava um crime monstruoso.

O cabeçalho da notícia dizia: "Surpreendendo a esposa aos beijos com o amante, o marido ultrajado abateu-os com seis tiros".

Clarissa estremece.

— Estão fechadas?

A voz da tia. Clarissa continua calada, o olhar vago.

— Ó sombra! Estão fechadas ou não?

— Estão, titia...

— Que coisa horrorosa! Como estás ficando pateta, menina, nem parece uma moça que já vai fazer quatorze anos!

Passo leve, lábios trêmulos, olhos embaciados, Clarissa encaminha-se para o quarto. Fecha a porta devagarinho e atira-se na cama (outra vez o cheiro bom de macela-do-campo, outra vez a maciez fresca do travesseiro) e rompe a chorar desatadamente. Ardem-lhe os olhos e o rosto, treme-lhe o corpo. A imagem terrível não lhe sai da mente. No corredor sombrio, os vultos abraçados, o retângulo luminoso da janela, o beijo longo, e aquela voz que gela, que fere, que assusta.

"Queres alguma coisa, Clarissa?"

Então essas histórias que se contam de mulheres casadas que namoram, que beijam outros homens que não os maridos são histórias verdadeiras? Horrível! Como poderá ela esquecer? Como poderá calar? Com que olhos, com que cara olhará de agora em diante os dois... os dois... amantes?

Clarissa soluça. O corpo se lhe agita, convulso, fazendo a cama tremer. Lá fora a chuva agora é mansa. Através dela brilha fracamente o sol. Uma vozinha infantil num quintal vizinho berra:

— Casamento da raposa! Casamento da raposa!

Amanhã, quando o Barata voltar, vai acontecer o grande desastre. Ela será chamada para dizer o que viu.

"É verdade que você viu minha mulher beijando o Nestor?"

Os olhos empapuçados do Barata brilharão de ódio.

E ela, muito encolhida, toda trêmula de soluços e de vergonha, que poderá dizer?

"Sim, é verdade..."

Então o Barata pegará o seu revólver e derribará Ondina e Nestor com seis tiros. As detonações ecoarão pela casa toda...

Clarissa cerra os olhos, para fugir ao quadro medonho. Sobre o linóleo da sala de jantar estão estendidos os corpos dos dois amantes, numa sangueira sem fim... Micefufe vem em silêncio e bebe o sangue quente com a sua linguinha rosada, como se bebesse leite no pires de louça da tia Zina...

— Meu Deus! Que será de mim? Por que foi acontecer isso logo agora nas vésperas do dia dos meus anos? Como eu sou infeliz!...

Olhos pisados, vermelhos, lágrimas a escorrerem pelo rosto, Clarissa ajoelha ao pé da imagem de santa Teresinha. Na oleogravura envernizada, a santa sorri.

— Santa Teresinha do Menino Jesus, por amor de Deus, me ajude!

Pela janela entra uma réstia de sol que se espicha sobre o soalho. A chuva parou. Através das nuvens se entrevê o céu dum azul lavado.

Ouve-se um rumor de passos pesados na escada. Nestor desce cantando com entusiasmo:

Deixa esta mulher chorar,
Pra pagar o que me fez!

No alpendre o Mandarim guincha, irritado.

21

— Então, minha menina, daqui a um par de dias vai colher mais uma rosa no jardim da existência, hem?

Clarissa sorri, mexendo com a colherinha de prata o chá que fumega na taça.

O major pergunta:

— E quantos anos vai fazer?

— Quatorze...

Belinha conta, entre dois goles de chá, o enredo do último romance que leu. Tio Couto pede mais açúcar a Belmira. O judeu interpela Gamaliel, e reacende uma discussão antiga.

— Quando os faraós atravessaram o mar Vermelho...

Olheiras fundas, sorriso quase imperceptível nos lábios grossos de batom, Ondina brinca com uma bolota de miolo de pão. Junto da janela, Nestor fuma calmamente o seu cigarro de ponta dourada, jogando para o ar, com toda a pachorra, baforadas de fumo.

Belmira entra com uma bandeja em que brilham louças e peças niqueladas.

— Aonde vais?

Sem parar, a mulata responde:

— Vou levar o chá pra o seu Zezé, que está outra vez encrencado.

D. Zina sacode a cabeça, penalizada.

— Esse pobre menino, longe de casa, sempre doentinho...

O major, chupando o seu chimarrão, comenta:

— No meu tempo, os rapazes eram mais sadios. Não se viam tipos como esse do Zezé: raquítico, pálido, com voz de moça...

Agora é o tio Couto que dá o seu palpite:

— Também ele teima em estudar medicina. Cada vez que tem de fazer uma autópsia, no necrotério, bota as tripas pra fora, fica enjoado e imprestável pra todo o resto da semana...

— Couto! — repreende d. Zina — isto não são conversas pra hora da mesa...

— Ora, ora, mulher... Aqui ninguém é fraco do estômago, que eu saiba.

Nestor sorri, joga pela janela o toco de cigarro, volta-se para fora e fica a assobiar em surdina um samba da moda.

Belinha remata a sua história:

— E finalmente o conde de Monte Azul casou com a filha do lenhador...

— Bobagens de amor!... — faz Ondina.

Amaro desce a escada, sem ruído.

— Bom dia!

Senta-se à sua mesa.

— Chá ou café? — consulta a tia Zina.

— Chá...

O major, só pra conversar, pergunta:

— Prefere sempre o chá, seu Amaro?

— Às vezes...

— O chá, como auxiliar da digestão, é recomendado por grande número de médicos. Quanto ao café, dizem os entendidos que estimula as faculdades intelectuais. O senhor, como intelectual que é, devia preferir o café...

Amaro já está longe. Olha furtivamente para Clarissa. Descobre nela algo de diferente. Por que essa tristeza? Por que esse rosto sombrio? Acaso uma criança tem direito de ficar triste? Naturalmente essa melancolia é como a tempestade da semana passada: ventania, trovoada, aguaceiro e depois sol dourado e céu limpo e fresco. Caprichos da primavera. É para que as flores fiquem mais perfumadas, o sol mais claro, a paisagem mais rútila...

Ouvem-se passos na escada.

Clarissa ergue os olhos, rápida. O coração começa a bater-lhe apressadamente. Procópio Barata vem descendo. Chegou ontem. Triste porque vendeu pouco. Está carrancudo, decerto já sabe de tudo, decerto já descobriu o segredo...

Seus olhinhos brilham. É com voz cava e rouca que diz:

— Bom dia.

Recostado à janela, cotovelo fincado no peitoril, Nestor assobia ainda.

Clarissa, olhos postos no caixeiro-viajante, fica imóvel, esperando...

Barata senta-se à mesa, sério. Ondina está imperturbável. Clarissa imagina mil dramas.

Ele já sabe... Ontem ouvi discussão no quarto deles... Decerto surrou ela... Agora quer saber... Vai falar para o Nestor... Agora.

Ofega. Suas mãos tremem.

— Então, vendeu muito, seu Barata? — pergunta o major.

— Qual! — faz o viajante com voz árida. — Uma droga esse comércio! Não tirei nem pra o cigarro! Uma droga! Tempo perdido. O patrão amarrou a cara... Também não se pode obrigar o freguês a comprar. Uma crise piramidal!

Tio Couto intervém; culpa o governo pela má situação do país. O major recorda os tempos da Monarquia. Nestor sorri, tira outro cigarro, cantarola, assobia.

— Major, me dê o fogo, faça o favor... — pede.

O major lhe estende o isqueiro.

O Barata sorve ruidosamente o café, enchendo ao mesmo tempo a boca de pão com manteiga. Quase embuchado, voz sumida, ameaça:

— Mas isto não fica assim! Ou na próxima viagem arranco pedidos grandes da freguesia ou arrebento essa joça, abandono o comércio e vou criar porcos...

Dá um murro na mesa. Clarissa está abismada. Nunca o viu tão exaltado. Decerto ele sabe de tudo, não há dúvida...

— Criar porcos não dá nada... — opina o major.

— O senhor já experimentou? — pergunta Nestor, deitando fumaça pelo nariz.

— Não — responde o velho Pombo —, mas tenho um sobrinho que cria porcos. Não dá dez por cento...

— Tudo dá, depende do método — sentencia tio Couto, enchendo novamente a xícara. — Mais açúcar, Belmira!

— Belmira, açúcar pro Couto! — repete tia Zina.

Barata ergue-se, de rosto sombrio.

— Isso não pode continuar assim...

Clarissa estremece. Naturalmente ele se está referindo a Nestor. Isso não pode ficar assim! É agora que vai acontecer a tragédia.

Barata passeia dum lado para outro. De súbito sua fisionomia se altera inexplicavelmente. O caixeiro-viajante aproxima-se de Nestor, planta-se-lhe na frente, segura-lhe a ponta da gravata, fita-o bem firme nos olhos e diz:

— Esta eu guardei pra você... Minha viagem foi má, é verdade, mas esta eu aprendi e guardei pra você... É piramidal!

Clarissa arregala os olhos. Barata leva a mão ao bolso. O revólver... Pum! Pum! Pum! Pum! Pum! Pum! Seis tiros, e os cadáveres rolam para o chão. Micefufe vem com a sua linguinha rosada e bebe-lhes o sangue como se bebesse leite... Clarissa sente um desfalecimento. A mão do Barata se ergue... Clarissa respira com alívio. Não é revólver: é um lenço amarelo que o marido de Ondina tira do bolso.

Barata pega Nestor pelo braço e leva-o para um canto da sala.

— É a história do inglês e do hoteleiro... Você conhece?

Nestor sacode a cabeça negativamente. Barata começa a contar a anedota, num cochicho cortado de risotas. No fim da história, Nestor tem um acesso de riso que o sacode todo. Barata o acompanha, vermelho, arrepanhando os lábios, rindo um riso convulsivo que lhe faz estremecer as bochechas, o ventre, os braços...

— Essa é boa, é de primeiríssima! Você ganhou o dia, Barata.

Clarissa mal dá crédito ao que vê... Será possível? Então... ele não sabe. E Ondina continuará a beijar o Nestor nos corredores?

Barata e Nestor riem ainda. Ao passo que Ondina sorri enigmaticamente.

O relógio bate o seu quarto de hora musical.

— Clarissa! — avisa tia Zina. — Olha o colégio...

— Sim, titia...

Clarissa se ergue.

— Você hoje, seu Couto, madrugou... — diz o major.

— É... Que remédio? O Cardoso me marcou um encontro pras oito, na Secretaria. Parece que agora a coisa sai...

— O emprego?

Couto sacode a cabeça afirmativamente. O major felicita-o:

— Parabéns! Até que enfim, meu caro. Não há nada como um dia depois do outro.

Gemendo, d. Glória ergue-se e caminha para o quarto no seu passo tardo e pesado de elefante. Belinha segue-a como um cachorrinho fiel.

Ondina e Barata, abraçados, sobem a escada.

— Vou ver se vendo alguma coisa na praça, hoje — vai dizendo ele.

— E vamos ao cinema?

— Que fita levam?

— Uma *super* da Metro.

As vozes se somem lá em cima.

Cantarolando, quase a correr, Nestor desce para o pátio.

Micefufe agora atravessa a sala deserta, preguiçoso, ronronando, pelo chispante de sol.

Clarissa, boina preta na cabeça, vestido branco, passa com a bolsa de livros debaixo do braço.

— Já vou, titia!

Lá da cozinha vem a voz de d. Zina:

— Deus te acompanhe, minha filha!

Nas árvores úmidas de orvalho os passarinhos cantam.

Sol. As flores de cores vivas parecem multiplicar a claridade. Tudo é claro e contente na manhã recém-nascida.

Mas que tristeza estranha pesa no peito de Clarissa? Uma pena infinita daquele pobre homem gorducho que não sabe que a mulher o engana. Enfim... Que mal há num beijo?

Clarissa pensa:

Como é engraçada a vida! Quanto mistério, quanto segredo... Os homens riem uns na frente dos outros, mas choram quando estão sós. Seu Barata e a mulher sobem a escada abraçados, mas no quarto, de porta fechada, brigam...

Clarissa vai andando. Nem enxerga as pessoas que passam; caminha como que cega, pensando, pensando...

Quando ela crescer, quando ficar moça, há de saber de todos os mistérios da vida. Alguém há de contar tudo. Talvez o noivo, talvez o marido. Talvez ninguém.

"Queres alguma coisa, Clarissa?"

Parece ouvir ainda a voz de Ondina... Não terá medo? E se ela, Clarissa, se ela contasse tudo? Depois daquela tarde de chuva, Ondina começou a enchê-la de agrados. "Clarissa querida, meu amor, meu benzinho, qualquer dia destes eu te levo ao cinema, eu gosto muito de ti, queres um doce, queridinha?" Agrados de toda a maneira. Antes, não. Parecia que nem se conheciam.

E Nestor? O mesmo, sempre cantando, soltando fumaça pelo nariz, sorrindo com ar insolente.

Se Clarissa contasse o que viu naquele dia de tormenta, tia Zina levaria as mãos à cabeça e diria:

"Que coisa horrorosa!"

Botava o Nestor para a rua e ia contar tudo ao Barata. Uma calamidade. Nunca hei de contar que vi a dona Ondina beijando o Nestor.

E Clarissa caminha na manhã luminosa, arrastando pelas calçadas a sua sombra e o seu tenebroso segredo.

22

D. Zina botou os talheres de prata na mesa. A toalha de linho branco reluz. O paliteiro de bronze é uma samaritana que traz ao ombro um cântaro cheio de crivos em que se espetam os palitos. Nos vasos espalhados por toda a casa há rosas brancas e vermelhas, jasmins, cravos e margaridas douradas.

Na terrina creme com debruns vermelhos, fumega a sopa.

O Barata sorve-a em colheradas cheias, ruidosamente, fungando. O major estala a língua:

— Se todos os dias houvesse uma pessoa pra fazer anos — diz —, estávamos bem arranjados. Podíamos contar sempre com uma galinhazinha, com uma sobremesa especial...

Risadas.

Olhando o major, Clarissa pensa no lindo livro que ele lhe deu: *Os contos de Grimm*. Foi uma surpresa. Ela pensava que o velho Pombo ia esquecer... ou queixar-se da crise. Mas quem foi que disse que o major esqueceu? Apareceu bem de manhã cedo, todo risonho, com um cravo na lapela.

— Então, quatorze primaveras?

Disse isso com as mãos às costas, abanando a cabeça calva. Clarissa respondeu com um sorriso e um sinal afirmativo.

— Tome lá esta lembrancinha. Não repare: presente de velho nunca tem valor. Mas vale a intenção...

O livro estava embrulhado num papel azul-claro, amarrado com fita de seda cor-de-rosa. Na capa, a Menina do Chapelinho Vermelho conversa com o lobo. Lindo! No interior, outras gravuras coloridas; e histórias: "Cinderela", "Branca de Neve", "O Príncipe Sapo"...

Depois do presente do major, Clarissa recebeu um abraço da Belinha: em nome dela e da mãe, a coitada, que estava metida no quarto, na cama, "outra vez às voltas com o maldito reumatismo".

Tia Zina viera muito cedinho ao quarto, dera-lhe dois beijos chupados e este conselho:

— Seja muito feliz e tenha muito juizinho, não faça como essas meninas sapecas da força da Dudu, que andam se refestelando por aí com os rapazes... uma coisa horrorosa!

Tio Couto abraçou-a, desculpou-se com a crise e disse que não comprara presente mas que "no ano que vem, se Deus quiser...".

Gamaliel desejou-lhe "uma chuva de bênçãos do Altíssimo. Amém!". Nestor deu-lhe "Parabéns!" de longe, com um gesto moleque. Ondina veio para ela toda sorridente, abraçou-a, beijou-a, fez-lhe uma enorme declaração de amor e prometeu:

— Olha, querida, agora quando o Barata for de novo para a fronteira, vou pedir para ele te comprar um corte de seda bem bonito. Este vai ser o nosso presente... Espera, meu amor, sim?

Disse isso com os olhos voltados para o Nestor, que fumava e assobiava calmamente junto da porta que dá para o jardim.

E agora aqui à hora do almoço, partindo um pedaço da galinha que foi morta por sua causa, Clarissa, num recenseamento mental que dura um segundo, vê que todos a cumprimentaram: todos, até a dona Tatá, que mandou um cartãozinho em seu nome e em nome do Tonico; até o judeu, a sia Andreza, a Belmira, todos — menos Amaro, Amaro que está ali no seu canto, silencioso, brincando com uma bolota de miolo de pão, indiferente, como se o dia de hoje fosse um dia igual aos outros, uma segunda-feira qualquer, aborrecida e sonolenta.

Em voz alta, Levinsky explica a Nestor por que os de sua raça não comem carne de porco. Gamaliel, a propósito duma observação do judeu sobre religião, solta um desafio que o outro não aceita. Barata conta uma anedota em que os heróis são dois israelitas. Tio Couto mete o pau no ministério atual e o major Pombo elogia a galinha.

O papagaio canta no alpendre. As janelas recortam um pedaço de céu azul. Os cristais rebrilham. Vem da vizinhança a música duma vitrola. Um tango argentino arrastado, choroso, com lamentos de bandoneon. Uma voz lamurienta canta em falsete:

Dónde estás corazón,
No oigo tu palpitar!

De quando em quando uma aragem entra na varanda, bole nas flores, agita as toalhas das mesas. Os cravos e os jasmins enchem o ar com o seu perfume. Tinem cristais. Rumor de vozes, de talheres que batem contra a louça dos pratos. Belmira passa, toda metida no seu vestido mais novo, servindo as mesas. A sua pele cor de azeitona ganha um lustro de metal à luz do meio-dia: os olhos da mulata lampejam e ela caminha, reboleando as ancas. Clarissa segue-a com o olhar. Vê também os olhos de Nestor, que ficam longamente pregados naqueles quadris que se agitam, naquelas pernas bem torneadas, naqueles braços carnudos.

Por que será que Nestor olha tanto para Belmira?

Já agora Gamaliel e Levinsky discutem com paixão.

— Noventa por cento das guerras são provocadas pelos judeus! — afirma o prático de farmácia.

Levinsky, garfo no ar, muito vermelho, vocifera:

— O senhor prova? O senhor prova?

Gamaliel sorri com a superioridade de quem tem a certeza de que está com a verdade. Verdade com V maiúsculo. O judeu insiste em pedir provas. Gamaliel bebe um gole d'água.

— Bem-aventurados os pobres de espírito... — murmura.

Levinsky se ergue:

— Isso é comigo, senhor Gamaliel?

Nestor puxa o judeu pelo casaco e fá-lo sentar:

— Dá o fora, seu bobo! Que mania é essa de discutir? Parecem crianças.

Agora é Gamaliel quem assume ares de dignidade:

— Se lhe serve a carapuça — diz —, pode vesti-la.

D. Zina intervém, maternal:

— Não briguem, meninos.

— E logo hoje no dia dos anos de Clarissa... — comenta o major.

Clarissa sorri e pensa:

Que querido, que simpático esse major! Ele sempre se lembra de mim e de meu aniversário.

Zezé pede chá.

— Não quer sobremesa?

— Obrigadinho, dona Zina, não sou muito amigo de doces.

Fala com uma voz macia e levemente trêmula de convalescente.

— Olhe que hoje temos montanha-russa... — avisa a dona da pensão.

Zezé faz um gesto polido:

— Não, dona Zina, muito obrigado...

Barata, prontamente, volta-se para d. Zina:

— Sou candidato a essa sobremesa que vai sobrar...

Tio Couto, rápido:

— Eu também!

Barata:

— Quem pediu primeiro fui eu...

— Mas eu sou mais velho, tenho mais direito... — graceja tio Couto.

Clarissa está feliz. Acha muita graça nesses dois homens que disputam uma taça de montanha-russa como se fossem crianças gulosas.

Belmira entra com a bandeja onde se enfileiram as taças de doce. As pirâmides de clara de ovo tremulam, com uma ameixa-preta na ponta. Barata esfrega as mãos.

— Gosto disso que me lambo todo!

Amaro pede licença e se levanta. Passa por entre as mesas como uma sombra, sem falar, sem sorrir, e sobe.

Clarissa acompanha-o com os olhos.

Bruto! — pensa. — Nem uma palavrinha pra mim. Todos disseram. Não é que eu queira presentes, não, que graças a Deus não preciso. Mas devia dizer uma palavrinha, por delicadeza. Uma palavrinha assim: Felicidade! Mas nem isso. Que custava? Egoísta, metido no quarto, a bater no tacho velho, inventando umas músicas que ninguém entende. Feioso. Cara enrugada. Insignificante. Bobalhão!

Mas de repente uma onda de ternura a invade. Quem sabe que desgosto o seu Amaro tem na vida? Que mistério enorme guardará consigo? Que grande segredo, que grande tristeza?

Coitado! — pensa, penalizada. — Que Deus o ajude, amém!

— Não queres doce, Clarissa?

— Quero sim, titia. Que ideia!

Começa a comer com sofreguidão. O doce, que passou a manhã no refrigerador, está gelado e gostoso! Clarissa leva-o à boca em colheradas repetidas, rápidas.

De quando em quando se detém um segundo para olhar em torno. As rosas e as margaridas se balouçam de mansinho sopradas pela brisa. O céu, dentro do retângulo da janela, parece agora mais luminoso e azul. O papagaio grita:

— Clariiissa!

Micefufe, firme nas patas traseiras, apoia as dianteiras nas coxas de Clarissa. O gramofone toca uma marcha de Carnaval, uma música que puxa a gente, que arrasta e convida para dançar e cantar. E o som do gramofone entra na sala de mistura com a luz do sol, o vento fresco, o perfume das flores, os gritos do papagaio.

Clarissa tem a impressão de que todos os semblantes estão sorridentes.

— Minha filha — diz tia Zina —, hoje podes ir ao cinema com o teu tio.

Couto olha para a mulher com o rabo dos olhos:

— Mas donde é que vou tirar dinheiro, mulher?

— Ora, Couto! Deixa de fita, tu sabes que eu é que dou sempre o dinheiro pra essas coisas...

Clarissa leva à boca a colherinha de prata cheia de doce e pensa: Como eu sou feliz, meu Deus!

Que bom que este dia nunca, nunca acabasse — pensa Clarissa, olhando para o horizonte, onde o sol vai aos poucos afundando.

No jardim as sombras dos plátanos agora estão quase apagadas. Na rua passam automóveis, mansamente. O vento é morno. Na casa vizinha as crianças fazem algazarra.

— Clarissa!

— Que é, titia?

— Venha cá ligeiro!

Tia Zina está sorridente, encostada à mesa, mãos às costas como quem esconde alguma coisa.

— Adivinha que é que eu tenho aqui pra ti...

Clarissa alça a sobrancelha direita, entorta a cabeça, num esforço para adivinhar. Depois de alguns segundos, diz:

— Não sei...

— Ora, boba, não sabe?

— Será... será... um... Oh! não sei, titia! Diga logo! Estou curiosa!

— Um pre... sen...

— ...te. Um presente?

Clarissa dá dois passos rápidos. D. Zina a detém.

— Agora adivinha de quem é...

— Da senhora?

— Não.

— Do tio Couto?

— Também não...

— Então não sei...

— Do seu Amaro, bobinha!

Clarissa, surpresa, arregala os olhos. Do seu Amaro? Não é possível... Ele nem sequer lhe disse uma palavra de cumprimento... Nem um gesto, nem um olhar... Não é possível.

D. Zina afasta-se para um lado.

Em cima da mesa acha-se um pequeno aquário bojudo de cristal, dentro do qual se agita um peixinho dourado.

— Titia!

O rosto de Clarissa é todo um espanto. Por um instante ela não consegue dizer mais nada, comovida, olhos presos no aquário.

— Oh! Bem o que eu queria! Bem o que eu queria! O que eu vi o outro dia!

Bate palmas. Aproxima-se da mesa, apalpa o aquário, mergulha os dedos n'água.

— Olhe só que bonito! Dourado, alaranjado, prateado. Tem todas as cores...

D. Zina sorri, mãos na cintura.

— Olhe só a boquinha dele como se mexe. Que é que ele come?

— Migalhas de pão. Carne.

— Veja, titia, como ele nada, veja os olhinhos dele. Que bom!

D. Zina se retira.

— Titia?

Já na porta d. Zina se volta:

— Que é?

— Vou botar um nome nele...

— Pois bote, contanto que não seja o meu...

— Oh!

— Bote um nome engraçado, que não seja de gente.

— Titia, já achei um.

— Como é?

— Pirulito.

D. Zina deixa a sala, sorrindo.

Clarissa fica enlevada, olhando para o peixinho.

Pobre do seu Amaro! — pensa. — Tenho de agradecer... Deus me perdoe por eu ter feito mau juízo dele...

Dentro do aquário de cristal, Pirulito revoluteia, riscando na água curvas moles.

Olhos parados — decerto com um mundo de projetos insidiosos na cabeça —, Micefufe namora o peixinho...

23

De volta do colégio, Clarissa senta-se no banco do jardim.

Ainda não encontrou Amaro depois que recebeu o presente. É preciso agradecer, expressar-lhe o seu grande contentamento.

Meio perturbada, estuda a frase que vai dizer.

É necessário falar direito, sem errar, com palavras bem pronunciadas, senão vai ser uma vergonha. Eu digo assim: "Seu Amaro, recebi o presente seu". Não! Assim é melhor: "Recebi o presente seu, seu Amaro". Seu seu! Que bobagem!

Como é difícil agradecer, principalmente quando a gente não tem intimidade com a pessoa que nos deu o presente. Mas o melhor é dizer assim:

"Recebi pela titia o seu presente. Fiquei contentíssima. Estou-lhe muito agradecidíssima."

Oh! como é custoso falar com pessoas instruídas e de cerimônia. O melhor é dizer simplesmente:

"Seu Amaro, não imagina como estou contente. Que lindo o peixinho! Botei nele o nome de Pirulito, sabe? Gostei muito. O senhor nem imagina como sou sua amiga. Muito obrigada! Muito obrigada!"

Amaro não deve tardar. Chega sempre a essa hora. No portão aparece um vulto. Clarissa sente um estremecimento. Será ele? Não é. O Nestor... Sempre em marcha acelerada. Entra. Logo atrás dele vem o judeu.

E o vulto escuro que acaba de subir a calçada? O coração de Clarissa bate com mais força. Agora, sim, é Amaro. Vem de chapéu na mão, ar cansado, cabeça pendida, passos lentos.

Clarissa se enche de coragem.

— Seu Amaro, eu...

Amaro, distraído, diz:

— Boa tarde!

E continua a caminhar.

Clarissa fica muito vermelha, a olhar para o chão.

O jantar terminou.

O major está no alpendre, fumando um crioulo em companhia do tio Couto. Tia Zina foi para a cozinha. Ondina e o marido sobem para o quarto, abraçados.

Clarissa toma uma resolução desesperada: tem de agradecer hoje, custe o que custar. O discurso será breve, fulminante.

"Seu Amaro, muito obrigada pelo seu lindo presente!"

Amaro deixa o seu canto. Agora vai subir para o quarto. Clarissa se ergue também.

— Sss... — principia.

Amaro nem sequer olha para ela. Sobe como uma sombra.

Clarissa senta-se de novo. Sobre uma coluna de madeira escura, a um canto da sala, rebrilha o aquário. Pirulito está agitado. Será que a luz elétrica o assusta?

Clarissa acerca-se do vaso de cristal. Agora nota que a água está toda cheia de rebrilhos. A janela, as lâmpadas, os móveis, tudo se reflete no vidro do aquário.

Clarissa aproxima os lábios da superfície da água.

E, como se o peixinho a pudesse entender, cicia:

— Pirulito, eu ainda não agradeci. Não tive coragem. Hoje de noite, quem sabe...

Noite sem lua. Céu escuro.

Clarissa folheia os livros com preguiça.

— Titia, aritmética é a coisa mais enjoada do mundo.

— Enjoada ou não, tens de estudar. Com que cara vou ficar se fores reprovada no exame? Que é que vou dizer pra tua gente? Estuda, que é melhor...

O Barata e a mulher passam, perfumados e enfeitados, rumo da rua. Vão ao cinema.

— Adeus, querida — diz Ondina, acenando para Clarissa.

— Adeus!

Agora é Amaro que vem descendo a escada.

D. Zina levanta os olhos do crochê:

— Vai a algum cinema, seu Amaro?

Amaro se detém.

— Vou caminhar sem destino.

Clarissa se ergue, cheia de coragem:

— Seu Amaro...

Uma turbação muito grande lhe tolhe a palavra. Amaro, olhos fitos nela, espera.

— ... eu... eu... muito obrigada pelo peixinho...

Amaro sorri.

— Oh! Não precisa agradecer...

E, olhos baixos, meio confuso também, explica, brincando com a aba do chapéu:

— Eu ia pela rua e dei com esse aquário numa vitrina. Não sei por quê, logo tive a ideia de trazê-lo...

Clarissa respira, aliviada. Já cumpriu a sua obrigação. Agora pode descansar.

D. Zina caçoa:

— Ufa que demorou esse agradecimento!

Amaro sorri.

Clarissa está admirada. O primeiro sorriso que jamais viu nesse rosto triste. Então o seu Amaro também sabe sorrir como os outros homens?

D. Zina, olhando fixamente para os olhos do hóspede, fala num tom maternal:

— Seu Amaro, o senhor trabalha demais. Precisa alimentar-se.

— Não se preocupe, dona Zina...

— Não — replica ela com mais ênfase. — Isso não é vida. Há muito que eu estava pra lhe dizer mas não achava ocasião. O senhor compreende, eu não queria falar perto dos outros. Podiam dizer que eu estava adulando o senhor...

— Ora...

— Agora vou lhe guardar todas as noites um copo de leite e um pedaço de marmelada ou de goiabada.

— Não se incomode por minha causa, dona Zina.

Amaro balança com o chapéu. A dona da casa insiste:

— Que é que prefere. Goiabada ou marmelada?

— Ora...

Amaro está perturbado.

— Diga, de que é que gosta mais?...

— De goiabada... — diz o hóspede, constrangido como se estivesse a fazer uma confissão vergonhosa.

O espanto de Clarissa cresce. Amaro acaba de confessar! Prefere goiabada...

— A senhora é muito boa...

— Pro fogo, como diz o Couto...

— O tio Couto diz isso por brincadeira... Está se vendo que ele a admira.

Clarissa continua surpreendida: agora Amaro tem para ela um aspecto mais humano. Uma criatura que a gente pode ver de perto, que conversa, sorri, pode ficar alegre, dizer coisas, preferir goiabada...

Curto silêncio.

Clarissa observa o rosto de Amaro.

Não é feio... — pensa. — Bem simpático. Que olhos bonitos... Parecido com um artista que eu vi numa fita... não me lembro quando... Quando ri, principalmente, fica mais parecido... Muito simpático... Como eu sou amiga dele!

— Bem... — diz Amaro — se me dão licença...

Olha para Clarissa por um instante:

— Então, gostou do presente?
Clarissa, num arrebatamento, clama:
— Fiquei louca! O senhor nem imagina. Um encanto!
— Boa noite.
Outra vez o homem triste e calado lá se vai, pisando de leve.
Clarissa ouve o ruído dos passos dele no jardim.
D. Zina se ergue:
— Vou ver o leite pra ele, antes que me esqueça...
Clarissa fica olhando para o livro que tem aberto sob os olhos. Por cima das letras negras agora dança uma figura. Uma figura de homem, olhos ternos, gestos mansos, dedos magros acariciando a aba do chapéu. Um homenzinho de voz macia que diz:
"Eu ia pela rua e dei com esse aquário numa vitrina. Não sei por quê, logo tive a ideia de trazê-lo..."
De repente a visão se some. E ali ficam, implacáveis, os dados dum problema: "Se 3 trabalhadores fazem 25 metros de um trabalho em 24 horas, quantas horas levarão...".
O tio Couto entra, cara grave.
— Zina!
A mulher aparece à porta da cozinha, com um copo de leite na mão:
— Que é?
— Vai fazer uma visitinha à dona Tatá. O Tonico está passando muito mal.
Clarissa sente um choque.
— Que é que estás dizendo? — pergunta d. Eufrasina.
O copo lhe treme na mão, deixando escorrer pelas bordas gotas que pingam no chão e que Micefufe lambe, sôfrego.
Tio Couto sacode a cabeça:
— Parece caso perdido...
Por cima do problema agora, no livro, Clarissa vê o pobre vizinho aleijado, na sua cadeira de rodas. Tem na cabeça um chapéu de bicos, feito de papel. Levanta no ar a espada de pau. Foi assim que ela o viu a última vez, no pátio...
Tia Zina vai, apressada, para o quarto. O marido apanha o chapéu e sai.
"Parece um caso perdido..."
A voz do tio soa ainda aos ouvidos de Clarissa. Caso perdido. Tonico vai morrer.

Ela fica parada, com medo até de pensar.

O aquário projeta sua estranha sombra cheia de reflexos na parede, onde as silhuetas dos vasos e das flores também se recortam nítidas.

A morte... — pensa Clarissa. — A gente nunca se lembra da morte. Mas um dia ela vem assim de repente. E o tio Couto entra na sala e anuncia em voz grossa:

"Parece um caso perdido!"

Perdido. Nunca mais!

Se o Tonico morrer, nunca, nunca mais ninguém vê ele no pátio, na cadeira de rodas. Nunca mais...

Amaro revolve-se na cama, sem sono.

Pela janela entram o luar e os rumores da noite. O quarto está cheio de sombra e de reflexos furtivos. Contra a parede cinzenta, a máscara de Beethoven é um rosto branco de sofrimento que a luz da lua torna ainda mais lívido.

Amaro pensa. No seu cérebro, as ideias se sucedem em tumulto, rápidas e confusas. Agora ele está ouvindo mentalmente um movimento da *Nona*. Mas a música se some: Amaro de olhos fechados vê uma cidade distante, uma casa entre árvores, uma voz doce que diz:

"Meu filho ainda há de ser um grande homem."

Outras imagens confusas. Uma letra descontada. Um ângulo do salão do banco, onde três cavalheiros gordos discutem o câmbio. Uma visão rápida da rua movimentada e colorida, cheia de pregões e semblantes. Outra vez um trecho da *Nona*.

Amaro abre os olhos. Ouve nitidamente as palavras de d. Zina:

"O senhor precisa se tratar..."

Sorri. Fica olhando para o quadrilátero pálido que o luar pinta no soalho. Clarissa está ali... O seu vulto se destaca contra o fundo de céu vagamente luminoso que a janela emoldura. Os seus cabelos estão coroados de prata. Ela — imóvel. No rosto moreno se adivinha o brilho dos olhos:

"Muito obrigada pelo peixinho."

Clarissa... Como ficou moça duma hora para outra! Os sapatos de salto alto a deixam mais mulher... Como se teria dado o milagre? Ontem corria descalça no pátio sob os pessegueiros em flor, brincava no jardim com os pequeninos da casa vizinha. Hoje — ali, seios apontando, formas definidas, braços e pernas roliços, bonita...

Amaro apaga a visão com um gesto. Volta-se para a parede. Mas na parede outra vez o rosto moreno sorri:

"Muito obrigada pelo peixinho!"

Amaro fecha os olhos. Quer pensar no último noturno que compôs. A música soa-lhe no cérebro, um vulto dança, corre, sacode os pessegueiros do pátio, ri sob a chuva de pétalas rosadas.

"Obrigada pelo peixinho."

E Clarissa rodopia, descalça, livre, o vento lhe agita o vestido, revolve-lhe os cabelos.

Amaro faz um gesto de impaciência.

— Que bobagem!

E puxa, contrariado, a colcha branca, cobrindo a cabeça.

24

Cantarolando, Belmira abre de par em par as janelas da sala de visitas que dão para o jardim. A luz amarelenta da tarde salta para dentro, fazendo reluzir os móveis polidos, as porcelanas e os cristais.

Clarissa, recém-saída do banho, atravessa o refeitório. Ao passar pela porta da sala de visitas, detém-se.

Amaro está sentado ao piano. Seus dedos brincam sobre o teclado, tocam de leve uma melodia qualquer.

E se ela lhe falasse, ele se zangaria? Se ela lhe pedisse para tocar uma música? Se lhe pedisse para inventar uma música? Era perigoso. Naturalmente, ele voltaria para ela uma cara cheia de rugas de aborrecimento, uns olhos sombrios de repreensão e diria:

"Menina cacete!... Por que não deixa os mais velhos em paz?"

Menina? Mas não!... Agora sou moça, olhe bem para mim, veja este vestido verde e branco, veja os sapatos de cetim, olhe o meu penteado, repare bem no meu rosto. Tenho direitos como as outras moças. Todos os homens sorriem e fazem cortesias para as moças. O senhor não é homem? Eu não sou moça? Pois então?

Clarissa entra na sala de mansinho.

— Seu Amaro...

Não ouviu. Nem se mexeu. Continua a tocar em surdina. Está num outro mundo. Vai ficar zangado. É melhor desistir...

Com esses pensamentos, Clarissa resolve retirar-se.

Mas Amaro se volta de repente. Sorri para ela.

— Estava aí?

Que voz suave, que sorriso bondoso, que ar amigo...

Clarissa, perturbada, balbucia:

— Eu ia saindo...

Um silêncio breve.

— Gosta de música?

A mesma voz macia, como se estivesse perguntando: prefere marmelada ou goiabada? Tudo tão diferente... Nem parece o homem fechado que subia as escadas como uma sombra, o homem triste que não falava nem sorria.

Clarissa se anima:

— Oh! Tenho loucura por música.

Respira com mais força. Os seios arfam sob o vestido verde. Tem as faces incendiadas. Amaro sorri.

— Seu Amaro...

Uma bola na garganta a impede de falar. Mas ela reage.

Que coisa! Por que tanta vergonha? Seu Amaro não é inspetor escolar, não é banca examinadora. Seu Amaro é um moço que mora na pensão da titia, um moço já "meio criado", como diz a dona Glória, nem bonito mesmo ele chega a ser. Por que tanta atrapalhação?

Amaro espera. Com esforço, Clarissa arrisca:

— Vou lhe pedir uma coisa.

— Peça...

Silêncio de novo.

— Toque...

— Tocar?

— Sim. Piano.

— Que é que quer ouvir?

— Invente uma música...

— Quer então um improviso?

— Não, quero que o senhor invente uma música, agora, aqui...

— Que vai ser?

Outro silêncio. Uma frecha de sol trespassa a varanda, inunda parte do aquário, em que o peixinho colorido nada.

— Oh! — faz Clarissa. — Faça uma música para o Pirulito.

Amaro fica em silêncio, por um instante, testa enrugada. Depois torna a sorrir, volta-se para o piano, estende as mãos sobre o teclado...

— Pois bem. Vou inventar uma musiquinha para o Pirulito.

Rosto iluminado de felicidade, Clarissa pergunta:
— Como é o nome da música?
— O nome da música é: "Pirulito querendo apanhar um raio de sol".
— Que lindo!
Amaro começa a tocar. Os olhos da menina se agrandam. Ela nem ousa respirar.
As primeiras notas fogem do piano, muito suaves, numa melodia serena.
— Pirulito está dormindo — explica Amaro. — A água está calma.
Clarissa sorri.
Os dedos de Amaro dançam sobre o teclado amarelento. Por um segundo Clarissa esquece a música e pensa:
As mãos dele são bem da cor do teclado.
De repente um acorde mais forte. Amaro diz:
— Um raio de sol atravessa o aquário...
Continua a tocar. Vai explicando. Pirulito desperta. Que mistério é este? A água está incendiada. Vem da janela uma réstia de sol que passa por uma fresta estreita: parece um dardo que trespassa o aquário. Pirulito recua. (Um acorde forte.) Fascinado, o peixinho dá um salto para apanhar o raio de sol. (Os dedos de Amaro saltitam, ágeis, batendo nas teclas.) A água se agita. Borbulhas, ondas, gluglus. A corrida começa. Pirulito, tonto, fascinado, corre e rodopia, querendo pegar a misteriosa fita de luz.
Amaro está esquecido de tudo, tonto e transfigurado também como o peixe que quer apanhar o raio de sol. Tremem os bibelôs que estão em cima da tampa do piano. Um negrinho de terracota oscila. Cambaleiam os vasos de flores. Pirulito corre ainda, embriagado de ilusão.
Clarissa sente um misto de delícia e medo. De delícia porque tudo isto é um encanto, um sonho. De medo porque Amaro tem no rosto uma expressão assustadora. Dir-se-ia que esqueceu tudo. Uma mecha de cabelo lhe tomba sobre os olhos, duas rugas fundas lhe vincam a testa.
Mas Pirulito cansa, modera a corrida, para... vê a enormidade do seu sonho. Impossível apanhar o raio de sol!
Amaro deixa cair os braços. Gotas de suor escorrem-lhe pelas faces. Tem um ar de vencido. Há um largo silêncio.
— Então — pergunta Clarissa — o Pirulito não pôde apanhar o raio de sol?

Amaro sacode a cabeça negativamente, e a menina murmura:

— Coitado!

Amaro passa o lenço pelo rosto.

Clarissa, numa onda de ternura, pensa:

Seu Amaro, se eu não tivesse medo de dizer uma bobagem, eu ia dizer uma coisa para o senhor. Ia dizer que o senhor é muito parecido com o Pirulito. Por quê? Porque eu sou amiga do Pirulito e ele nem fica sabendo: vive ali dentro do aquário, não vê ninguém, não fala com ninguém e nem fica sabendo que eu sou amiga dele. Pois o senhor é bem assim: vive no seu quarto, fechado, não fala comigo, não me vê nem fica sabendo como eu sou sua amiga. O senhor é muito parecido com o Pirulito. Eu sei que isto é uma bobagem de menina, mas o senhor me desculpe: é o que eu sinto.

Vai escurecendo aos poucos. Lá fora o céu empalidece. Passam na rua automóveis, buzinando. Olhando Clarissa, Amaro sente uma repentina perturbação. Só agora tem consciência de que ambos estão sós na sala. Em torno deles — o silêncio. Clarissa, recostada ao piano, se acha numa quietude embaraçosa.

Menina — pensa Amaro. — Tu nunca poderias compreender. Nem tu nem ninguém sabe quanta ternura há em mim. Eu hei de ser sempre para vocês todos o seu Amaro melancólico e taciturno, o seu Amaro que trabalha num banco e faz música nas horas vagas, o seu Amaro que vai ler livros à sombra dos plátanos; o seu Amaro que não sabe fazer um gesto de amizade nem de acolhimento. Vocês nunca compreenderão. E tu, menina, não podes compreender também a alegria íntima que me dás. Porque és poesia, és música, és... nem sei o que és... Tudo isto se pode sentir, tudo isto se pode pensar. Mas nada disto se pode dizer. Seria piegas, seria idiota, como seria idiota também eu dizer que te amo. Tenho mais do dobro da tua idade. E algumas rugas no rosto. Pirulito não pode apanhar o raio de sol. O raio de sol é de um outro mundo. Clarissa, se eu pudesse falar, se tu pudesses entender... eu te diria que nunca desejasses que o tempo passasse. Eu te pediria que fizesses durar mais e mais este momento milagroso. A vida é má, menina, a vida envenena. Amanhã serás gorducha e prática como titia. Amanhã terás filhos, te transformarás numa matrona respeitável. Onde estará então a menina em flor que corria no pátio atrás das borboletas? Mas tu tens curiosidade de conhecer a vida... É natural. Talvez nem compreendas a significação deste momento. Quanta coisa eu teria para dizer se eu pudesse falar, se pudesses entender...

Amaro sente-se invadido por uma sensação estranhamente deliciosa. Clarissa olha-o, meio constrangida, mãos apertadas, os lábios trêmulos.

À porta aparece Belmira. Amaro sente uma onda de sangue afluir-lhe ao rosto. Imediatamente uma recordação lhe vem à mente: teve uma impressão idêntica há muitos anos, quando, ainda menino, fora surpreendido pelo pai no momento em que conversava por cima da cerca com a filha do vizinho.

A voz da mulata, dengosa e arrastada, quebra o silêncio:

— Seu Amaro, dona Zina mandou pedir pro senhor não tocar mais porque o Tonico da dona Tatá está passando mal...

Amaro ergue-se em silêncio. Com passos rápidos, sem dizer palavra, sai da sala, atravessa o compartimento vizinho, e sobe.

Clarissa, imóvel ainda, fica olhando para o companheiro de minutos que se some na sombra, outra vez misterioso, outra vez calado, fechado e triste.

25

Anoitece e tio Couto vem dizer em voz baixa que o Tonico está agonizando. Na sala, onde o jantar termina, se faz de repente um silêncio, muito fundo.

— Que é que está dizendo! — exclama o major.

Tio Couto estica o lábio inferior, numa careta de pessimismo. E afirma:

— Talvez não passe desta noite...

Zezé pergunta o nome do médico. Ondina lamenta a sorte do pequeno. D. Zina, sacudindo a cabeça, com uma lágrima a fulgir-lhe no canto do olho, murmura:

— Pobre da vizinha. Tão infeliz...

Palitando os dentes, o major suspira:

— É a vida, dona Zina, que é que se vai fazer? É a vida...

Gamaliel, que raspa com fúria o pires da sobremesa, diz com uma voz untuosa:

— Mais um inocente vai entrar no reino de Deus. Ele disse: "Deixai vir a mim os pequeninos...".

Nestor agita-se na sua cadeira. Tem no rosto uma expressão pícara quando diz:

— Tonico não pode entrar no céu. Deus só quer anjos com duas pernas...

Tia Zina arregala os olhos para o rapaz numa expressão muda. Ninguém riu.

Silêncio embaraçoso.

Clarissa está comovida, mãos enlaçadas postas em cima da mesa, a respiração difícil, os olhos úmidos.

Tonico vai morrer... E tudo se passa como se nada de extraordinário estivesse acontecendo na casa vizinha. Na casa rica, do outro lado, o rádio berra uma música alegre. Lá fora se acenderam todos os combustores da cidade. O céu está límpido, estrelas já a apontar: promessa duma noite serena. No seu aquário fulgurante, Pirulito nada, revoluteia, agita as guelras. Ondina fala duma fita que pretende ver hoje. Amaro está no seu canto, silencioso e tranquilo. Mas o Tonico vai morrer. Ninguém mais o verá de tarde, apanhando sol no pátio, esperando, inquieto, a hora do avião. Nunca mais! E tudo ali seguirá no mesmo: os homens e os bichos. Micefufe continuará ronronando, preguiçoso, por baixo da mesa, por entre as pernas das cadeiras. O Mandarim, no seu poleiro de alumínio, continuará sacudindo as penas verdes. Todos seguirão vivendo, rindo, comendo, caminhando. Mas o Tonico estará morto. Morto...

Tia Zina ergue-se de mansinho.

— Vou ajudar um pouco a pobre da dona Tatá — diz.

Sai.

Belinha suspira.

Micefufe parado diante do aquário, pelo arrepiado, cabeça erguida, fita os olhos verdes e vidrados no vaso bojudo, onde o peixinho faz piruetas.

Belmira entra com a bandeja cheia de xícaras pequenas em que o café fumega.

O major e o tio Couto começam a discutir sobre a questão do café. Levinsky, a propósito da avidez com que Micefufe namora o peixinho, expende alguns conceitos filosóficos. O velho Pombo afirma que o café podia ser a salvação do Brasil. O judeu acha que o caso do gato e do peixinho constitui uma paráfrase viva da fábula de La Fontaine. E, quando Micefufe, depois de arranhar num esforço vão a coluna que sustém o aquário, desiste da empresa e desliza para a cozinha, Levinsky sentencia:

— Estão verdes...

Nestor, que não percebeu patavina da comparação e só sabe que La Fontaine foi um cavalheiro francês que escreveu umas fábulas que, às vezes, fazem a desgraça dos estudantes de preparatórios, fica repetindo:

— Mas que judeu burro! Nunca vi ninguém tão burro! Que besta!

Clarissa tem o olhar empanado pelas lágrimas. Imagina Tonico deitado na sua cama pequena: o rosto pálido mal se destaca contra o lençol branco. E na casa triste, aquele cheiro de hospital, ratos furtivos correndo rente às paredes, sumindo-se em buracos invisíveis. Toda vestida de preto, dona Tatá chora desesperadamente. E por cima da casa, a sombra negra da morte, uma caveira horrenda, com uma foice afiada. Clarissa já viu várias vezes a morte pintada assim. Foi num livro de histórias: a caveira, em passadas de sete léguas, cruzava os campos; seu manto negro voava ao vento vindo do outro mundo, a foice relampejava no ar e ia "ceifando vidas" (era assim que estava escrito no livro); homens, mulheres e crianças fugiam em desespero, gritando, chorando, levantando os braços para o céu... E a caveira ria, olhando a lâmina ensanguentada de sua foice mortífera. Ria, ria, como deve estar rindo agora por cima da casa de dona Tatá, esperando a hora de cortar a vida do Tonico...

Plaf! Um barulho agudo, seco, acompanhado de tinidos. Clarissa dá um salto, assustada. A foice da morte caiu sobre a casa do Tonico?

Não. Foi a Belmira que deixou cair a bandeja com as xícaras.

— Estabanada! — repreende seu Couto. — Quando a Zina chegar, eu te faço a cama...

Belmira, imperturbável, começa a juntar os cacos de louça:

— Ora, me deixe, seu Couto! Grande perjuízo... Se faz muita questã, eu pago...

O coração de Clarissa bate com força, parece que vai saltar do peito.

— Estou desmoralizado... — comenta o tio Couto em voz baixa.

— Qual! — diz o major.

— Não... Estou mesmo. Também, a culpa é minha. Não trabalho. Todos sabem que vivo à custa da Zina...

— Ora... deixe disso...

— Começam a abusar. Pois o senhor não há de ver, major. Até aquele menino, o Nestor, que eu trato tão bem... Pois deu pra inticar comigo, pra perguntar quando é que eu vou trabalhar... Já se viu?

— Coisas de rapaz...

— Agora, até a Belmira. Era só o que faltava!

O velho Pombo sorri. Mas tio Couto, num crescendo de indignação, bate com o punho na mesa e remata:

— Amanhã até o Micefufe é capaz de querer fazer pipi na minha cabeça.

Clarissa ouve as palavras do tio. Não tem vontade nenhuma de sorrir. Tonico vai morrer. Um remorso a assalta: lembra-se de sua última visita ao doentinho: as histórias de guerra, a marcha, o tombo... Com uma vontade doida de chorar, ela se ergue e vai refugiar-se no quarto.

Na noite transparente os jasmins perfumam o ar. As estrelas piscam e o crescente cor de limão se recorta contra o azul levemente esverdeado do céu.

Debruçado à janela do quarto, Amaro olha para a casa vizinha. Na parede sombria recorta-se um retângulo de luz amarelada, onde de quando em quando escureja um vulto.

Nos quintais das redondezas há manchas claras, formas vagas, ruídos fugidios. As árvores estão paradas.

Agora, muito longe, um cão começa a uivar dolorosamente. Um galo canta. Outros galos respondem, mais longe.

Vem das ruas movimentadas o ruído surdo e prolongado dos bondes. Às vezes se ouve o grasnar agudo de uma buzina de automóvel.

Depois o silêncio cai de novo, um silêncio tão grande que parece que a gente chega a ouvir o brilho das estrelas.

Amaro pensa no menino moribundo. Uma profunda tristeza põe-lhe um cinto apertado no peito.

Na casa vizinha um menino se debate em agonia. E ele aqui, fechado no quarto, braços caídos, inerte. Nem a sua arte nem os seus músicos nem os seus poetas podem salvar a vida de Tonico. Se ao menos ele fosse médico... Iria para a cabeceira do doente, lutaria contra a morte...

No entanto, debruçado à janela, como mero espectador, olha apenas para a casa onde a tragédia silenciosa acontece.

Tonico vai morrer: Amaro não pode fazer nada por ele. Nem uma palavra de consolo, nem um gesto de afago. E o menino doente, com a sua cadeira de rodas, amanhã não estará mais na paisagem familiar. À hora em que a sombra da noite começar a invadir o pátio, não se ouvirá mais o grito dolorido: "Tatá, vem me buscá!".

Amaro fecha a janela devagarinho.

Acende a luz. Abre o piano, tomado subitamente por um desejo invencível de expressão musical. Toma dum lápis e duma folha de papel de música. Em surdina, aos poucos, vai improvisando uma *berceuse* tristonha e doce. De quando em quando se detém para escrever as notas na pauta.

"Canção de acalanto para o menino que vai morrer."

Fora os galos amiúdam. O silêncio cresce. As estrelas cintilam.

26

A manhã está inundada de sol. Mas dentro da casa de d. Tatá há sombras, vozes em surdina, quatro velas ardendo, cheiro de remédio, de cera queimada, de flores.

Clarissa, um peso no peito, entra na casa, agarrada ao braço da tia. Pelos cantos, no corredor, gente desconhecida. Todos falam baixo. Caras sombrias. Suspiros.

— Morreu ao anoitecer, o pobrezinho... — diz uma mulher sardenta, com ar compungido.

E um homem de barba crescida, que está pitando um grosso cigarro de palha, sacode a cabeça com lentidão.

— Antes assim — diz ele. — Deus chamou a si mais um anjinho. É como diz o verso: "Antes morrer que penar".

A mulher sardenta suspira.

Na varanda o cheiro de flores e de cera queimada é mais acentuado. Olhos muito dilatados, coração aos saltos, Clarissa olha...

Dentro dum caixão coberto de pano roxo, Tonico está deitado entre flores, mais branco que os jasmins. Tem o corpo escondido sob rosas, margaridas e glicínias. Só lhe aparece a cabeça: o rosto magro e comprido, o nariz afilado, lábios sem cor. As chamas das velas bamboleiam, sopradas pelo vento da manhã que entra pelas frestas das janelas.

Algumas pessoas da vizinhança estão na varanda, ao redor do caixão. As comadres falam. E falam os homens indiferentes que passaram a noite contando anedotas, fumando e tomando café.

— Minha filha, fique aqui enquanto eu vou ver a dona Tatá.

Clarissa faz com a cabeça um gesto afirmativo. D. Zina desaparece na penumbra dum quarto.

Toda trêmula, as mãos trançadas descansando no colo, Clarissa fica sentada numa cadeira, sem a coragem dum gesto. Na sala brotam cochichos, risadas abafadas, murmúrios.

À cabeceira do defunto, um Cristo grande de prata, braços sangrando presos na cruz preta, tem a cabeça caída sobre o peito e uma expressão de sofrimento no rosto. O vento agita as chamas das velas: há reflexos móveis no corpo do crucificado. No meio das flores Tonico parece apenas adormecido.

Nem o ronco do avião pode acordá-lo agora. Nem o som de clarins e tambores dos batalhões que passam na rua.

Uma velha, piscando o olho e apontando para o crucifixo com o lábio inferior esticado, murmura para a vizinha:

— Velório de gente rica. Cristo de prata, castiçais finos...

Sacode a cabeça num gesto significativo e continua:

— Quem será que paga? Dona Tatá, toda a gente sabe que é pobre como rato de igreja. Ainda o mês passado cortaram a luz por falta de pagamento...

Uma mulher magra de pescoço comprido explica que quem está fazendo todas as despesas é o dr. Maia, "um moço muito simpático, recém-formado, que mora na casa vizinha".

— De onde saiu essa amizade? — insiste a velha, numa intenção maliciosa.

A comadre magra encolhe os ombros. E um senhor calvo e sério que está junto dela, intervém e explica:

— Não vê que o moço chegou há pouco do Rio, onde estava estudando. Foi ele que atendeu o menino. Fez o que pôde. Mas ninguém vence o destino. O Tonico morreu e o doutor ficou com pena desta miséria... É rico, resolveu fazer todas as despesas...

A mulher magra suspira.

— Sempre há ainda neste mundo almas caridosas.

A velha faz um gesto de quem tem ainda as suas dúvidas. O senhor grave sacode a cabeça com solenidade.

Do quarto contíguo vêm os soluços abafados de d. Tatá. Pelas velas grossas escorrem fios longos de cera.

O rosto do Cristo está todo pontilhado de rebrilhos. E no seu leito de flores Tonico continua a dormir...

As lágrimas brotam nos olhos de Clarissa. Na parede da sala, colada com sabão, há uma gravura em que se vê Napoleão Bonaparte montado no seu cavalo branco, visitando, soberbo, um campo de batalha depois da vitória. O chão está juncado de cadáveres, de mochilas destroçadas, de bandeiras, de canhões e carabinas, e de sangue. Longe, um crepúsculo avermelhado.

Clarissa se recorda perfeitamente do dia em que Tonico arrancou com sofreguidão aquela página a uma revista.

"Que bonito, mamãe. Manda botar num quadro, manda!"

E nesse dia fez com uma folha de jornal um chapéu de dois bicos, como o de Napoleão. Movimentou sua cadeira pelo pátio, e como o grande general, no seu cavalo branco, passeou por um campo de batalha imaginário.

Clarissa olha para o caixão. Tonico... ali, sem vida, parado, silencioso. Não poderá mais ir para fora, tomar sol, pôr em formatura os seus soldadinhos de chumbo, dar ordens de combate, esperar o avião... Morto para sempre, irremediavelmente. E... por quê? Por que será que a vida é assim? Daqui a pouco aparecem uns homens indiferentes, tiram as flores do caixão, chamam dona Tatá para se despedir do filho. Ela vem, chora, grita, abraça o cadáver; os homens a arrastam dali, fecham o esquife, erguem-no pelas alças, levam-no lentamente pela rua, vão à igreja, o padre canta uma cantiga triste numa língua que não se entende; o enterro continua a marchar, entra no cemitério, os homens descem o caixão para o fundo dum buraco e depois um coveiro sujo, e também indiferente, começa a jogar terra em cima do caixão, terra e mais terra; o acompanhamento se retira e lá fica debaixo do chão o Tonico, tão fraco, tão desamparado, tão desgraçado, sozinho, sem mãe, sem amigos, sem sol, sem nada...

Pelo rosto de Clarissa escorrem lágrimas mornas. Se ao menos abrissem a janela, se ao menos deixassem entrar a luz, o sol, o ar, o perfume das flores vivas... Sim, porque essas flores que cobrem o defunto são flores da morte, têm um perfume diferente, uma cor estranha... Se ao menos abrissem as janelas... O ambiente da varanda sufoca. As velas bruxuleiam. O Cristo de prata lampeja. E no seu caixão roxo Tonico continua imóvel, como um triste boneco de cera. Moscas voam-lhe ao redor da cabeça.

Os lábios de Clarissa tremem, mas deles não parte o mais leve sonido. Intimamente, ela está dizendo ao pequenino morto:

Tonico, perdoa se eu te fiz algum mal. Perdoa porque eu sempre fui tua amiga, sempre tive muita pena de ti. Tonico, tu lembras de quando eu te contava histórias de guerra? E, se naquele dia tu caíste da cadeira, eu não fui culpada, te juro, por este Cristo, que não fui. Tonico, por que não acordas outra vez? Tonico, olha que daqui a pouco o avião vai passar. Tonico, que surpresa boa para todos se tu acordasses, se tudo isto fosse um sonho, só um sonho...

Uma senhora de rosto bondoso entra na varanda, afugenta as moscas e cobre o rosto do morto com um lenço lilás.

Um homem carrancudo consulta o relógio.

— Já está na hora — resmunga. — Não sei por que esperam tanto tempo...

— Não querem levar o defunto sem ordem do doutor que tratou dele... — explica alguém.

O homem impaciente faz uma careta.

Ouve-se uma voz que diz:

— O doutor chegou...

Todas as cabeças se voltam para a porta. Um homem alto entra. Está vestido de escuro. Tem uma voz metálica.

— Senhores, vamos abrir as janelas — diz —, vamos abrir as janelas, este ambiente está irrespirável!

Como ninguém se mexe, ele mesmo vai às janelas e abre-as de par em par. O sol da manhã invade o compartimento num jorro fresco e dourado. Sob a luz forte, agora todas as fisionomias e todas as coisas têm um tom diferente. Os rostos parecem mais pálidos. Some-se quase a luz das velas, diluída na claridade maior.

O dr. Maia está no meio da sala, braços cruzados, olhando para o caixão. Os seus cabelos louros rebrilham na luz. Tem um ar pensativo, testa enrugada. É claro, rosto fino, lábios delicados. Clarissa lembra-se de que já viu numa gravura um moço parecido. Foi no cinema? Não. Onde foi, então? Foi num livro de histórias, talvez... Sim. Na história do Príncipe Sapo.

O homem que consultou o relógio se aproxima dele.

— Doutor, o senhor nem sabe a obra de caridade que está praticando...

— Ora...

— Não, naturalmente por modéstia o senhor não dá ao seu gesto o valor que ele tem, mas que é um gesto muito bonito, lá isso é!

O dr. Maia põe a mão no ombro do interlocutor.

— Obrigado. Essas coisas... nem é bom a gente falar.

Olha o relógio de pulso.

— Bom. Podemos fechar o caixão. Faça o favor de avisar a mãe...

Clarissa tem um sobressalto. Na sala todos se levantam, aproximam-se do defunto. Querem olhar de perto a cena da despedida.

Trêmula e perturbada, Clarissa foge.

O major Pombo, o dr. Maia e mais dois homens desconhecidos carregam o caixão de Tonico. O acompanhamento é pequeno. Vão dois automóveis: o Cadillac azul do dr. Maia e o Ford velho de aluguel do seu Patrício, um conhecido de d. Tatá.

Quando o enterro sai, rumo do cemitério, as janelas das casas da vizinhança se fecham. Mas há olhinhos curiosos que ficam espiando pelas frestas...

Escondida atrás do portão do jardim, Clarissa também espia. No meio das caras tristes do enterro o rosto do dr. Maia, claro e rosado, é um contraste vivo. Os seus cabelos louros fulgem.

Ah — pensa Clarissa —, se o Tonico pudesse ver quem vai segurando uma alça do caixão dele, ficava até contente.

O cortejo fúnebre marcha devagar. Às janelas que se vão abrindo aos poucos, assomam cabeças curiosas. As comadres trocam impressões.

No céu rútilo, nuvens de algodão se amontoam, às vezes escondem o sol, projetando largas sombras na rua.

Vem duma casa próxima o som abafado dum gramofone. Uma voz dengosa diz que a vida é boa:

Esquece as tristezas,
Meu bem,
Vem pra gandaia,
Gozar.

E Tonico se vai, para não voltar mais... E o dia está lindo. Um avião passa no céu: suas asas chispam. Sobre os telhados há uma revoada de pombas assustadas. No jardim da pensão as flores se abrem: cravos, papoulas, jasmins, rosas, margaridas... E a voz que sai da vitrola lembra a alegria dum Carnaval que passou.

O enterro segue devagarinho. Clarissa ainda vê a cabeça do dr. Maia, rútila no meio de outras cabeças escuras e foscas. O Cadillac rola mansamente sobre os paralelepípedos, sem ruído. O Ford do seu Patrício vai numa marcha estertorosa, convulsiva, aos sacolejos, roncando penosamente.

O cortejo some-se na volta da rua. Clarissa fecha os olhos. Não presta ver enterro sumir-se... Olhos fechados, ela pensa:

Pobre do Tonico. Pobre da dona Tatá. Nunca mais!

Abre os olhos. O enterro desapareceu. Mas a vida continua, sob o céu indiferente. Passa a carroça dum verdureiro, toda fresca de folhas verdes, no meio das quais berram os tomates vermelhos e as cenouras ruivas.

Ouve-se uma voz de mulher:

— Seu Zacarias, hoje não quero tomate!

A rua se movimenta. Passam homens e mulheres pelas calçadas. Um nenê nu chapinha na água corrente da sarjeta, dá gritinhos de gozo: o rosto redondo e sujo de barro resplandece ao sol. Um cachorro se espreguiça em cima dum portal. Duas raparigas vestidas de claro atravessam a rua, falando e rindo.

Mas Tonico não voltará mais, nunca mais.

27

A sombra das árvores e das casas se alonga sobre o chão. Um vento fresco bole nas folhas e nas corolas, sacode os estores das janelas.

Clarissa desce ao jardim.

Quem é que não sente alegria nesta tarde bonita? Quem é que não sente vontade de viver?

No horizonte veem-se grandes nuvens rosadas, com franjas de fogo. Mais para o alto o céu tem uma cor suave de opala; bem no alto é azul desmaiado, puro, transparente, parelho. O vento bate no rosto da gente, perfumado e fresco.

D. Tatá, depois da morte de Tonico, foi viver com uns parentes numa cidade do interior. E a fachada de sua casa, de janelas e portas fechadas, parece um rosto triste. Tonico repousa lá no alto da colina, na cidade branca, debaixo da terra. Os passarinhos cantam num plátano perto da sua sepultura. Clarissa já foi levar-lhe flores, numa tarde de domingo. Todos os túmulos caiados (as recordações lhe brotam à mente agora) tinham, ao sol, reverberações que faziam mal aos olhos. Clarissa levou uma braçada de rosas e margaridas. Na cruz de madeira há uma placa de folha, com letras tortas: "Aqui jaz Antônio da Conceição Barbosa — 1921-1932 — Orai por ele". Parecia impossível que Tonico estivesse lá embaixo, no ventre da terra escaldante, fechado, sozinho...

Clarissa espanta os pensamentos tristes. No fim de contas ela está viva. Viva! Pode respirar este ar fresco, ver o céu colorido, ouvir o rádio que toca na casa vizinha, olhar as flores...

Senta-se à sombra dum cinamomo. No chão ocre, as folhas das árvores desenham arabescos caprichosos. Ao longo do tronco passeiam formigas numa fila comprida e sinuosa. Clarissa sorri. As formigas são o pesadelo da tia Zina.

"Me estragam as flores, essas danadas! Uma coisa horrorosa. Deus botou no mundo duas pragas! Uma foi a formiga."

Quando tia Zina disse isso, tio Couto levantou os olhos de boi manso e falou:

"A outra nem precisa dizer, que já sei. Sou eu..."

Quando a titia se revolta contra os bichos daninhos, o marido também entra na dança.

Do rádio da casa vizinha vem a voz do *speaker*.

— LR3, Radio Nacional de Buenos Aires.

Uma voz grave e sonora.

Buenos Aires... — pensa Clarissa. — Deve ser bonito... Casas altas, muito altas, muita gente, teatros, cinemas, praças... Viajar... Ir pelo mundo, ver coisas novas. Lua de mel. Um marido louro, como um príncipe das histórias de fadas. Viajar... Ver outras gentes... Sair desta vida sempre igual, sempre presa, com as mesmas pessoas, os mesmos segredos. Jantar noutra sala que não seja a da pensão, ouvir outras vozes que não sejam a do major, a do tio Couto, a do Gamaliel, do judeu, da Ondina, da Belinha... Viajar. Livre! Ser outra pessoa...

Outra vez a voz do *speaker*.

— Se va a transmitir ahora el *Nocturno nº 2* de Chopin. Gravación.

Um violoncelo começa a gemer.

Na janela verde da casa rica aparece um vulto. Clarissa sente um sobressalto. É o dr. Maia. Debruça-se ao peitoril e fica olhando para o jardim. Tem um cigarro preso aos lábios, solta para o ar baforadas de fumo azulado que lhe envolvem o rosto.

Clarissa recorda num segundo: a casa de dona Tatá, com o seu cheiro de morte, cheia de cochichos e sombras. De repente entra aquele moço bonito, como se tivesse nascido ali mesmo por obra de encantamento:

"Vamos abrir estas janelas, senhores, por favor. Este ambiente está irrespirável!"

Um milagre! Os cabelos do Príncipe são feitos de raios de sol...

E agora ele lá está debruçado à janela, olhando indiferentemente para o jardim. Então aquela é a casa dele? Mora com o Capitão Mata-Sete, a Ana Maria, o Tancredo, o Bolinha?

Clarissa tem os olhos fitos na janela. O Príncipe fuma, sereno, como que alheio a tudo. Talvez esteja sonhando...

Clarissa lembra-se agora precisamente de onde viu uma cara assim. Foi no livro que o major Pombo lhe deu. Aquele moço que está ali na janela é parecido com o Príncipe Sapo. Não há dúvida.

Era uma vez uma menina que deixou a sua bola de ouro cair dentro d'água e ser levada pela correnteza. Então ela começou a chorar.

— Por que choras, minha menina?

Ela ficou muito surpreendida por ouvir uma voz, pois não via ninguém perto. Depois, reparando melhor, avistou um sapo verde em cima duma pedra.

— É você que está falando, sapo?

— Sim. Por que choras?

— A correnteza levou minha bola de ouro.

— Não chores, minha menina. Se tu me prometeres três coisas, eu te trarei de volta a bola de ouro.

— Quais são as três coisas?

— Tens de me levar para casa, deixar-me comer no teu prato e dormir na tua cama.

A menina prometeu tudo e o sapo lhe trouxe de volta a bola de ouro. Depois a menina ficou com nojo do sapo quando o viu comendo no seu prato. E, quando o sapo pediu que o pusesse na cama, ela não se conteve, agarrou-o por uma perna e jogou-o contra a parede. Imediatamente o sapo se transformou num príncipe louro e lindíssimo, que contou que uma feiticeira má o havia feito virar sapo.

No fim da história, o príncipe louro casou com a menina e levou-a para o seu reino, numa carruagem de ouro...

E Clarissa sente-se arrebatada também por um moço louro, dentro duma carruagem dourada, puxada por cavalos negros que galopam, caminhando para um reino de maravilhas...

Na janela, o dr. Maia solta uma baforada longa, fica olhando para a fumaça que se dilui no ar e depois, com um gesto indiferente, joga fora o cigarro, volta-se para dentro e desaparece.

A visão encantada se apaga.

A noite desce.

Na sala de jantar as luzes estão apagadas. Clarissa entra. Tem vontade de gritar:

"Por favor, senhores, vamos acender as luzes. Este ambiente está irrespirável!"

E ela sente que de agora em diante a vida não poderá ser a mesma.

28

Dezembro.

Na pensão de d. Zina a vida rola.

As mesmas caras, os mesmos ruídos, as mesmas vozes.

No jardim brilham as papoulas. Micefufe passeia preguiçosamente por cima do muro, onde já morreram as glicínias e as rosas.

Na casa de d. Tatá: silêncio, um silêncio parado, sombrio, um silêncio de morte e esquecimento. No chão do pátio ficou abandonado um soldadinho de chumbo. É o capitão. De mão erguida, espada em punho, parece comandar uma carga. A sua túnica vermelha está desbotada. Que vento mau teria levado o penacho do bravo comandante?

Manhãzinha. Nestor entra no banheiro e fecha a porta com violência. Depois se ouve o chiar mole da água. E uma canção de Carnaval entrecortada de bufidos, trêmula, sincopada.

D. Zina aproxima-se da porta, bate devagarinho.

— Ó Nestor!

De dentro, uma voz grossa:

— Quem foi que morreu?

— Olhe! Não gaste muita água. O mês passado tive que pagar excesso...

D. Zina se vai corredor em fora, sacudindo as banhas, arrastando as chinelas.

Dentro do banheiro a cantiga recomeça:

Queria te vê na frente
Duma pistola
Todo frajola...

Sete horas. Gamaliel desce para o café. Vem cheirando a água de laranjeira, o cabelo lambido.

Senta-se à mesa, limpa a colher na ponta da toalha, examina a manteiga, o pão, a xícara, pigarreia, junta as mãos, inclina a cabeça, fecha os olhos e murmura:

— Ó Deus, abençoa este alimento que vou tomar e dá-me também o pão espiritual, por amor de Cristo Te suplico! Amém.

Por alguns segundos fica ainda concentrado, na mesma postura. Depois ergue a cabeça, descerra os olhos, sorri, certo de que Deus como de costume o escutou.

— Belmira!

Da cozinha vem uma voz debochada:

— Já vai!

— Estou com pressa!

— Pois eu não estou...

O rosto de Gamaliel escurece.

— Bem-aventurados os pobres de espírito.

No alpendre, o papagaio canta:

— Café! Café! Café!

Belmira entra na varanda com a bandeja de lata pintada, onde vem o bule de leite e a cafeteira, ambos a fumegar.

Gamaliel esfrega as mãos.

Bebendo seu café, pensa na farmácia. O dia pode ser duro, mas pode não ser. Se o doutor Severiano aparece, vai ser um deus nos acuda. Se não aparece, melhor. Se o patrão não amanhece atacado, tudo correrá bem. Se amanhece, paciência. O diabo é que o aumento prometido nunca vem. Diabo, não. Um bom protestante nunca deve falar no nome do Diabo. Mas a verdade é que o aumento não vem. E o diabo é que a fatiota de domingo já está ficando lustrosa. Outra vez o Diabo! Livra, tentador! Enfim, se o doutor Severiano não aparecer com as suas receitas conhecidas — uma colher, de duas em duas horas —, tudo estará bem. O pessoal da roda vai comparecer na certa. O chimarrão correrá de mão em mão. Diz que diz que. Política. Boatos de revolução. Futebol. Dizem que a mulher do fulano anda namorando o sicrano. Sinais dos tempos. Imoralidade aberta. Os pais contra os filhos, os amigos contra os amigos. E ruirão cidades. E o fogo dos céus cairá sobre Sodoma e Gomorra. Está escrito.

— Seu Gamaliel, mais café?

Gamaliel desperta.

À sua frente Belmira exibe uma carranca de má vontade.

— Não quero mais. Obrigado. Está na minha hora.

Ergue-se, toma o chapéu e ganha a rua, no seu passito miúdo e apressado.

Belinha acaba de ler *Elzira, a morta virgem*. D. Glória não melhorou do reumatismo.

Na cômoda do quarto, na frente da imagem de são Sebastião, está sempre uma vela acesa. Promessa.

— Mamãe — diz a Belinha —, sabe quanto gastamos de vela, o mês passado, no armazém?

D. Glória põe uma cara interrogativa. A filha, destacando bem as sílabas, para dar ênfase:

— Qua-ren-ta mil-réis!

Voz tremida e dolorosa, a mãe lamenta:

— E não há jeito de eu melhorar...

Belinha suspira.

Encaminha-se para a sala de visitas. Está na hora da lição de canto. Daqui a poucos minutos surge na porta, ar tímido, todo encolhido, óculos acavalados no nariz recurvo, bigodinho caído dando um ar de desânimo e desleixo ao rosto emaciado — o seu Licurgo, o professor de canto, velho conhecido da d. Glória, e viúvo.

Belinha abre o piano. Com o dedo fura-bolo bate numa tecla. Um dó rouco e dolorido sai do bojo do velho piano.

Enquanto passeia os dedos de leve sobre o teclado, Belinha pensa:

Enfim, se o seu Amaro quisesse... Porque ninguém pode negar que é um bom partido. Simpático, inteligente, compositor, quieto, bom moço. Enfim... Nem um olhar, nem uma esperança. Antes ainda havia um tiquinho de esperança, assinzinho do tamanho duma unha. Mas hoje, desilusão completa. Nada. Silêncio, cara fechada, indiferença. Mas não vale a pena desesperar. Seu Licurgo vem aí. Reserva. Quem sabe? Feio — é verdade — mas remediado, professor de canto e solfejo, homem maduro e sério. Na falta de outro, serve. Mas que timidez! Até que ele se declare, as galinhas chegarão a criar dentes...

Um ruído. Belinha volta a cabeça.

À porta, a pasta debaixo do braço, chapéu na mão, seu Licurgo está parado.

— Dá licença?

Belinha abre o seu melhor sorriso:

— Pois não, professor, vá entrando.

Seu Licurgo entra.

— Como tem passado?

Sempre a mesma pergunta. E o mesmo perfume: Essência Vitória, um extrato longínquo, que vem lá do passado, que lembra velhos baús e velhos fraques.

Belinha senta-se ao piano, arranja os cabelos num gesto dengoso. O professor pigarreia, ajusta os óculos, marca o compasso com a mão e:

— Vamos! — diz.

Belinha canta a escala em *a*. Sua voz aguda e trêmula corta o ar como um estilete.

Micefufe mete a cabeça no vão da porta, assustado: seus olhos fuzilam, verdosos. Belinha alcança o si natural e Micefufe foge numa corrida desabalada, rumo da cozinha. O Mandarim, assanhado, começa a gritar desesperadamente.

Belinha desce a escala.

Enfim, o seu Licurgo não é precisamente um marido ideal. Mas serve... Há piores.

— Isto é erva, e da boa!

O major Pombo elogia o chimarrão. Sia Andreza sacode a cabeça em silêncio. Os seus olhos de peixe morto, amarelentos e baços, estão imóveis. Pende-lhe dos lábios grossos o cigarro de palha.

Madrugada. Cantam galos nos quintais. Vem de fora um vento frio que cheira a sereno. A luz pálida que envolve a paisagem vai se avivando aos poucos. No horizonte róseo há já reflexos de ouro.

— Sia Andreza, só nós é que madrugamos nesta casa.

— Nóis e a sia Zina — corrige a negra velha. — Daqui a pouquinho ela está por aí.

A chaleira chia, em cima da chapa do fogão.

— Sia Andreza, você nunca casou?

— Nunca.

— Não achou um moreno que lhe agradasse?

Sia Andreza sorri. E, com sua voz rouca e áspera, explica:

Quando vim da minha terra,
Minha mãe recomendou:

Minha fia, nunca te casa,
Que a tua mãe nunca casou.

O major solta uma gargalhada. A negra arreganha os beiços num sorriso desmanchado.

— Teve filhos?

— Tive.

— Quantos?

— Um.

— Onde está?

Sia Andreza faz um gesto vago.

— Anda aí pelo mundo...

O major quer continuar a dar trela. Mas a negra velha se esquiva:

— Bueno. Deixe ir arrumar as coisas pro café.

Quando a manhã clareia por completo, o major desce ao jardim para ver o seu pé de cravos. Ele mesmo o plantou, com licença da d. Zina. Aos sábados apanha religiosamente um cravo vermelho, e o põe na lapela do fraque preto com que vai à missa.

Se encontra alguma flor crestada, resmunga palavras amargas contra o sol, contra as formigas, contra a terra má.

Será que a gente desta casa não tem ocupações? Dormindo até esta hora?

Tem ímpetos de gritar:

"Ó Couto! Ó Barata! Ó Amaro! Vamos, meus amigos. Desçam! Acordem! Eu preciso falar! Preciso dar conselhos a vocês, maldizer os homens e as coisas públicas, ditar normas de governo e de vida, fazer perguntas... Eu estouro! Não aguento mais. É do meu feitio: preciso conversar, conversar, conversar..."

Mas, como na casa o silêncio continua, o major se contenta com ficar contando aos cravos, às papoulas, aos jasmins e às formigas de como certo general que comandava somente quarenta mil homens venceu o inimigo dez vezes mais numeroso.

O relógio grande bate seis badaladas.

D. Zina recebe na porta o pão e o leite.

— Olhe, seu Zacarias, o leite tem vindo muito aguado. Como é isso?

Seu Zacarias embatuca.

D. Zina não insiste na pergunta. Reclama... por nada, por hábito. É — como costuma dizer — para não habituar mal o freguês.

Depois de abrir as janelas da sala de visitas e do refeitório, vai bater à porta do quarto da Belmira:

— Acorda, rapariga!

Bate com insistência e só deixa de bater quando Belmira, lá de dentro, resmunga um "Já vou!" abafado e sonolento.

D. Zina lava a roupa no tanque, bate-a na tábua. A trouxa de anil risca o tanque de veias azuis. Tia Zina torce a roupa e depois vai estendê-la na corda que corta o pátio em diagonal.

Às vezes cantarola uma cantiga "do tempo de dantes":

Os sinos da tarde
Me lembram saudosos
Daquelas paragens,
Aonde nasci...

Uma cantiga que aprendeu lá no sítio. D. Zina nem chega a cantar. Pensa apenas na cantiga e convence-se de que está realmente cantando em voz alta. A ilusão é tão perfeita, que às vezes ela se cala, apreensiva, imaginando que está a fazer barulho para os que ainda dormem.

Estende na corda uma camisa do marido.

E o Couto, que não há jeito de achar emprego? Também, ele não quer outra vida. Dorme até tarde como um barão. Come como um abade. Fia-se na promessa dos amigos e o tempo passa. Um traste! Também, o coitado trabalhou toda a vida, agora porque teve a infelicidade de perder o emprego, a gente não deve atucanar a pobre criatura. Porque acontecem desses desastres na vida...

(D. Zina pega duma blusa de linho de Clarissa.) Está uma moça. Bonita como o pai. E comportadinha, graças a Deus. Inocente, bobinha que até dá vontade de rir. Mas antes assim, porque essas meninas de hoje são umas sabidas... Nem que fosse minha filha eu poderia querer mais bem a essa diabinha. E pensar que faltam tão poucos dias para essa menina ir embora... Férias. O pai não pode vir buscá-la. Escreveu:

Mandei um vale postal com dinheiro para a passagem da Clarissa e do Couto que eu pesso para ele o obséquio de trazer a menina e passar uns dias aqui com nós.

Como Clarissa vai deixar saudades!...

Agora d. Zina tem nas mãos outra camisa do marido, rasgada no punho. Relaxado! Também é demais. Dormindo até esta hora!

Enxugando as mãos no avental, d. Zina corre para dentro e abre a porta do quarto num safanão.

O marido dorme sono fundo.

D. Zina sacode-o.

— Couto! Acorda! Couto!

Com um ronco estertoroso, tio Couto se revolve na cama, abre um pouco os olhos e resmunga:

— Aããn?

— Pula da cama, homem! Não tens vergonha?

— Aããn?

Com uma cara palerma, tio Couto soergue-se.

— Vamos — insiste a mulher. — Pula! Que coisa horrorosa!

Coçando a cabeça, a cara amassada, tio Couto atira as pernas para fora da cama.

No banheiro o espelho oval da pia reflete um rosto aborrecido e cheio de sono.

Durante o café, Couto, azedo, conversa com o major e diz mal dos políticos, do pão, da manteiga e da vida. O major ri para dentro:

— He-he-he-he!

— Não têm palavra, são uns conversadores! — vocifera o marido de d. Zina.

— Quem? — acode o major.

— Os políticos.

Há um silêncio.

— Está sem sal! — berra outra vez o tio Couto.

— Os políticos?

— Ora, major, a manteiga, naturalmente! Ó Belmira!

Mas Belmira não dá sinal de vida. Tia Zina, de outro compartimento, avisa aos berros:

— A Belmira está ocupada!

Com uma praga, Couto levanta-se.

E mais tarde, para que não lhe chamem vagabundo, pretexta um trabalho qualquer. Vai fazer uns remendos no galinheiro, umas composturas hipotéticas no encanamento, no porão...

E resmunga de si para consigo mesmo:

— E ainda dizem que eu não trabalho!

* * *

O Barata anda viajando.

Mas Ondina se distrai com o Nestor. Cochicham pelos cantos, trocam-se olhares. O major já comentou o "agarramento". A tia Zina farejou o namoro.

Enquanto o marido passa contrabandos de seda na fronteira, Ondina pinta os olhos como a Mirna Loy e canta:

És deliciosa,
Tão caprichosa!

Quando desce a escada, tem meneios de mulher fatal e deita olhares compridos para o Nestor, à hora das refeições.

Agora já o seu predileto não é mais o Warner Baxter mas sim John Barrymore, que ela acaba de ver numa fita de sensação.

— Que homem! Que perfil! Que distinção!

Belinha lamenta que hoje em dia não haja no cinema um tipo como o Gustavo Serena, das velhas fitas da Cines.

Com uma careta humorística, Ondina ironiza:

— Não conheço, minha filha. Não sou desse tempo...

Belinha enfia. Caiu sem querer. Faz o possível para esconder os seus trinta e cinco anos.

E Ondina, mastigando um pedaço de galinha, pensa numa tarde escura de chuva e num beijo quente e longo que não tinha o gosto familiar e enjoativo dos beijos do marido...

29

Olhos e ouvidos atentos, Clarissa vê e ouve tudo o que se passa a seu redor. Nada lhe escapa à percepção. A galinha branca bota mais ovos que a galinha preta; a galinha amarela, porém, bota menos ovos do que a galinha preta. Ontem o Mandarim estava mais alegre que hoje. A semana passada o Barata estava com mais apetite do que nesta semana. Nos canteiros há mais papoulas que rosas. Faz quatro dias que as crianças da casa vizinha não brincam de roda no jardim. Este mês só choveu dois dias.

É como um prisioneiro que — privado do espetáculo integral da vida, das paisagens livres e largas — se distrai com examinar detidamente os detalhes mínimos de sua cela.

E os dias vão passando.

Na pensão não há novidade. Isto é: o judeu foi embora, já formado. Ficou devendo um mês de pensão. Tia Zina não queria deixar sair as malas dele. Mas Levinsky fez uma choradeira enorme, jurou pelo seu Deus que mandaria pagar logo que pudesse. A dona da casa ficou comovida e deixou-o sair em paz.

Clarissa não pode esquecer a figura triste que Levinsky apresentava no dia da colação de grau, metido num *smoking* alugado que lhe dançava, frouxo, em cima do corpo.

Zezé também azulou duma hora para outra. Teve medo do exame; e um dia, de surpresa, chegou para a tia Zina e pediu:

— A senhora faça o favor de ver a minha conta que eu vou viajar amanhã...

Tia Zina fez cara de espanto e arregalou uns olhos deste tamanho.

— Amanhã?

Mas o exame? E a carreira?

Zezé, muito constrangido, desculpou-se com o maldito estômago, pediu, "por falar em estômago", um chá com torradas. E foi arrumar a mala.

Clarissa também não esquece o ar tristonho e derrotado com que o estudante de medicina subiu a escada, rumo do quarto.

Aquele dia foi de azedume para tia Zina: dois hóspedes de menos, e o tio Couto continuava na moita, sem se mexer para procurar trabalho.

Dudu aparece às vezes. Vem como uma onda fortemente colorida; deixa por onde passa um perfume ativo de Mitsouko e o eco de sua voz estrídula. Fala com rapidez, salta dum assunto para outro, inconstante. Gesticula, ri, põe-se séria de repente, suspira e depois torna a rir.

Clarissa vive fascinada por essa menina de olhos graúdos, barulhenta e alegre como um guizo.

Dudu entra na pensão da d. Zina como mensageira de um outro mundo, do mundo que está lá fora. Conta histórias fabulosas. Um novo tipo de coquetel. A última invenção em matéria de gelado. Uma fita de cinema, sensacional. Rapazes. Novos amores. Aventuras que ela conta apressadamente numa confusão, lançando para os lados olhadelas furtivas, com medo de que d. Zina apareça dum momento para outro, "pra fiscalizar".

Rútila e rápida como um sonho bom, Dudu chega, conversa, ri, canta e se vai... Segue pelo jardim em passadas largas. Clarissa leva-a até o portão. Despedem-se com um beijo. E Dudu segue pela calçada, faceira, gingando, elegantíssima.

Clarissa acompanha a amiga com um olhar comprido e enamorado. Encosta tristemente o rosto ao muro. O portão é o limite. Além do portão está a vida com todos os seus mistérios e todos os seus encantos.

Belinha está ao piano fazendo gorjeios impossíveis, assustando o gato, irritando o papagaio. Lá em cima o seu Amaro martela no piano alugado. Tia Zina remenda as meias do marido. Belmira arruma as mesas para a janta. No aquário Pirulito nada. Parece triste também. Se falasse, diria:

"Isto me aborrece. Não veem que eu sou do mar? O mar é imenso. Por que não me matam, por que não me servem à mesa com molho escabeche?"

Clarissa encosta o rosto ao vaso de vidro. Se não fosse uma tolice conversar com um peixinho colorido que não pode entender o que as pessoas dizem, ela diria:

"Meu amigo, eu também vivo presa. Sou do campo. Lá fora, corro pelas macegas, vou tomar banho no lajeado, monto o meu petiço zaino e vou sozinha apanhar sete-capotes na beira do mato, ver a cascata grande... Aqui: presa, estudando, estudando. Pra quê, não é mesmo?"

Mas, de súbito, uma ideia clara e alegre lhe invade a cabeça. Dentro de poucos dias estará em casa. Os exames não tardam. Ah! Ela há de por força fazer bons exames. Depois — a viagem. O trem, os passageiros, as paisagens, as estações com caras e casas e coisas novas. Finalmente a sua cidadezinha de interior, a casa grande de muitas janelas, pintada de amarelo. Na frente, os plátanos. E a rua contente: do outro lado a casa do seu Mascarenhas, coletor estadual. A Lilita, filha dele, deve estar crescida. Há de lhe dizer com sua voz chorona:

"Clarissa, como se foi de estudos?"

A velha Ambrósia estará no portal da casa, esperando a "minha fia", beiçarra arreganhada num riso cheio de gozo. Papai virá de braços abertos, com o seu cheiro de fumo, os seus olhos escuros e aquela barba dura que espinha... Mamãe — essa, coitada! — estará quase chorando de contentamento. Naturalmente no dia da chegada da filha querida há de botar o seu eterno vestido marrom com enfeites pretos, o traje de domingo. No almoço haverá peru com farofa, croquetes e guisadinho com abóbora. Uns dias na cidade. Depois o Ford antigo de para-lama amassado os levará a todos para a estância. Para a estância!

A voz da tia Zina corta o fio dos pensamentos de Clarissa.

— Vá estudar, menina, os exames estão na porta!

Instintivamente Clarissa olha para a porta. Quem está na porta não são os exames. Mas sim o seu Licurgo, o professor de Belinha.

— Entre, professor!

Na casa rica todas as janelas estão fechadas. A família foi para uma praia de banhos. No jardim já não se ouve mais a algazarra dos guris. Nem nas janelas verdes aparece a figura bonita do Príncipe Sapo.

Todas as tardes depois do banho — vestido novo, cabelo cuidadosamente dividido ao meio por um risco traçado com capricho — Clarissa vai para o jardim olhar as janelas verdes.

Quem sabe? Acontece tanto milagre... Duma hora para outra se podem abrir as venezianas, deixando aparecer uma cabeça dourada...

"Senhores, vamos abrir as janelas. Este ambiente está irrespirável!"

Para onde teria ido o príncipe encantado?

Clarissa suspira.

As janelas verdes continuam cerradas.

Na escola, sempre o mesmo quadro cansativo.

Um mar agitado de cabeças que nunca se aquietam. Cochichos. Cicios. Na parede, os mapas. A Itália, como uma bota cor de coral, aplicando um pontapé na Sicília. Que gigante enorme é a Rússia! Em outro quadro há um esqueleto em tamanho natural: estão discriminados todos os ossos do corpo humano. Clarissa às vezes sonha com a caveira.

Nos recreios a algazarra é ensurdecedora. Clarissa entra nos jogos. Canta, grita e corre, quando está contente. Mas logo cansa, vai para um canto e fica pensando...

Que vida levarão as outras meninas que se divertem no pátio? Todas terão pais? Serão ricas? Terão namorados? Morará alguma em pensão, como ela? E se a gente pudesse adivinhar o que as outras pessoas estão pensando — como seria bom! Pelo menos seria possível saber com antecedência o ponto que a professora ia escolher para exame...

Depois do recreio: aula novamente.

As meninas entram com o rosto afogueado, ofegantes e ainda mais desinquietas.

A professora bate com a régua na mesa:

— Não bastou o recreio, insubordinadas?

Quando a algazarra cessa, a lição recomeça.

A Batalha dos Montes Guararapes. Calabar. O estreito de Gibraltar. O corpo humano. A família das umbelíferas. Regra de três composta.

No quadro-negro a professora risca os dados dum problema.

O calor sufoca.

E lá fora — o rio, brilhando ao sol, cheio de velas, azul como o céu, com cerros verdes nas margens. O rio, fresco, sem ondas, sem algarismos, sem obrigação de estudar. Livre!

Depois: a rua.

Homens passam suados, de pele reluzente. Os automóveis deslizam sobre o calçamento, cheios de faiscações. Rumores. Buzinas. E sobre todas as coisas — o sol.

A sombra de Clarissa dança na calçada.

O suor lhe perola o rosto. Ela vai caminhando, ansiosa por chegar a casa, ansiosa pela ducha fria do chuveiro, pela sombra do quarto, pela cama.

Vai contando nos dedos:

Faltam cinco dias para o exame. Dez para a viagem. Doze para beijar a mamãe e o papai!

À hora do jantar todos mostram um rosto cansado.

O tio Couto queixa-se da falta de dinheiro e do calor.

— Se eu fosse rico, a esta hora estava gozando a brisa do mar, no Cassino...

Tia Zina suspira.

E o major:

— Qual! O mar não é lá para que se diga. Prefiro a serra.

O silêncio recai.

Seu Amaro continua mais quieto e indiferente que nunca.

A água gelada embacia os copos. Vem de fora uma aragem morna, misturada com o cricri dos grilos.

— Vamos ter uma noite bonita de lua... — diz o velho Pombo.

E de novo se faz um silêncio pesado e opressivo.

Tio Couto torna a suspirar:

— Se eu fosse rico...

Belinha também suspira.

Nem este — pensa, olhando para Amaro — nem o outro... Que gente mole, meu Deus!

Tia Zina olha desolada para as mesas vazias de Zezé e do judeu.

Gamaliel se ergue, risonho. Vai a uma festa da Liga Epworth.

Sem sono, Clarissa debruça-se à janela. A noite está clara. Refrescou. Uma lua enorme, cheia, muito clara. Os quintais estão raiados de sombra e de luz. Parece que o disco da lua se enredou entre a ramagem folhuda do plátano grande do quintal da casa onde d. Tatá morava.

O relógio, na sala, bate onze horas.

Cabeça encostada na vidraça, Clarissa pensa...

Como o tempo passou... Parece que o ano começou ontem. Entretanto, quanta coisa aconteceu! Sempre desejou voltar para casa. Mas, agora que o dia da partida se aproxima, ela sente algo de esquisito no peito, uma espécie de saudade antecipada. Vai sentir falta de tudo isto, de todos estes aspectos, de todas estas caras, de todos estes ruídos. Vai se lembrar sempre do papagaio, que sabe dizer o seu nome, do gato, que lhe roça preguiçosamente as pernas, da sia Andreza, que vive na cozinha como uma gata borralheira. Sentirá falta de tia Zina, do tio Couto, de Amaro. E quem sabe se também de Ondina e Nestor: a vida é tão engraçada... Nunca mais lhe sairá da memória a risada contente do major...

Fora, o luar cresce, branco, tênue, inundando a paisagem.

Clarissa infla as narinas. Parece-lhe que o luar tem um perfume todo especial. Se ela pudesse pegar o luar, fechá-lo na palma da mão, guardá--lo numa caixinha ou no fundo duma gaveta para soltá-lo nas noites escuras... Como é bonito o luar! Parece que as árvores estão borrifadas de leite. Longe, na encosta dos morros piscam luzes, como vaga-lumes aprisionados. O rio está cheio duma fosforescência argentina.

Que perfume doce é este que o vento traz. Vem do campo? Vem do mar? Vem da pátria do Pirulito ou vem do seu rincão?

Agora ali contra o muro caiado está um vulto indeciso.

— *Por que choras, minha menina?*

— *Minha bolinha de ouro caiu n'água e a correnteza a levou.*

Mas quem está ali contra o muro não é o sapo. É o príncipe louro.

"Vamos abrir as janelas, senhores! Este ambiente está irrespirável."

Sorri. Seus cabelos louros fulgem ao luar. Ouro e prata misturados.

— *Princesa, a minha carruagem de ouro está à espera.*

Sim? A carruagem, levando o casal feliz, vai por estas estradas enluaradas puxada por cavalos brancos e negros. Cavalos brancos parece que vieram da Lua. Os cavalos negros são filhos da noite. No céu as estrelas cochicham segredos, umas para as outras, vendo o príncipe passar com a sua noiva. Nem Cinderela é mais feliz que ela. Nem Branca de Neve.

Mas o vulto se some. E só fica o muro caiado...

Clarissa vai para a cama. Despe-se, deita-se. O lençol fresco dá-lhe ao corpo uma sensação boa.

Pela janela aberta, a luz da lua penetra no quarto.

Olhos voltados para o teto, Clarissa sonha...

E, quando a menina viu que o sapo queria dormir na cama dela, pegou-o por uma perna e jogou-o contra a parede. Vai, então, o sapo se transforma num belo príncipe...

E o doutor Maia está ali de novo, junto da cama.

Inclina-se de leve, lábios estendidos. Os lábios de Clarissa se estendem também. A boca do príncipe tem um perfume de noite, uma frescura de luar. A impressão do beijo é tão perfeita que Clarissa sente o sangue subir-lhe às faces.

No entanto ela vai partir... E se não voltar mais, nunca mais? Não tornará a ver esta gente, as pessoas desta casa, o príncipe encantado...

Uma bola sobe-lhe à garganta. Vontade de chorar.

E as lágrimas lhe escorrem pelo rosto, quentes, e pingam no travesseiro.

30

Ajoelhada na frente da mala aberta, Clarissa vai empilhando dentro dela as suas coisas com um cuidado cheio de ternura. O vestido novo vai bem em cima, para não ficar amassado. No fundo podem ir as meias, os lençóis, as fronhas e algumas bugigangas sem importância.

Evola-se da mala um perfume doce, misturado com o cheiro ativo da naftalina. No fundo rastejam traças. Clarissa as afugenta com um caderno dobrado em forma de cartucho.

Lá fora a manhã vai alta. Por trás das nuvens cinzentas se adivinha o sol. Ar parado. Mormaço.

Na pensão há um silêncio muito grande. Parece que a vida parou. Nem o rumor das vozes familiares a que o ouvido está habituado. Nem os passos de lã do Micefufe. Nem os gritos do papagaio. Silêncio. Um silêncio úmido, quente e opressivo como o ar da manhã.

Com uma pilha de roupa branca sobre as coxas, Clarissa fica imóvel por um instante, pensando.

Finalmente chegou o dia da viagem. Mas por que será que ela não está alegre? Por que não sai a correr pela casa toda, pulando, cantando, dançando? Por que esta sensação esquisita no peito, esta vontade de chorar, de ficar parada, parada, pensando em tudo que passou, em tudo que vai ainda acontecer? Amanhã ela poderá abraçar os pais, ver a casa onde nasceu, a cidade onde se criou, as amigas. Mais tarde ainda, estará na estância. E poderá acariciar de novo o pelo sedoso da Mimosa, a sua vaca de estimação. Poderá ir tomar banho no lajeado, ficar estendida debaixo das cascatinhas de espumas brancas... Ver os porquinhos sujos e gorduchos que passam no quintal, roncando. Apanhar frutas no mato...

Clarissa sabe que em breve poderá fazer tudo isso.

No entanto está triste. Por quê?

Suspira, recomeçando a arrumar a mala.

O relógio grande dá duas badaladas. Ouvem-se passos na sala de jantar. Depois, a voz de d. Zina:

— Belmira, vai acordar o Couto! São duas horas!

Tio Couto está sesteando — "tirando uma torinha, porque a viagem vai ser braba e no trem dificilmente eu durmo".

Outra vez na cabeça de Clarissa as recordações se amontoam. Os exames... Horas de angústia, rostos pálidos, olhos fulgurantes. Em cima da mesa da professora, um vaso com flores. Na hora do exame oral de aritmética, diante da pedra, ela tremia, suava frio. Seu rosto devia estar da cor do giz que lhe dançava entre os dedos. A voz grossa do examinador: "Se 20 operários trabalhando 8 horas por dia...". Quando o homem acabou de falar, ela ergueu o braço a custo e foi riscando à toa, como num pesadelo. No exame de história tudo foi fácil... Teve de falar de d. Pedro I. "Se é para o bem de todos e felicidade geral da nação, diga ao povo que fico." Tudo bem decoradinho, graças a Deus. Na geometria: achar a área dum triângulo, a coisa mais fácil do mundo. A professora compareceu de vestido novo e ficou muito orgulhosa porque só houve duas reprovações em toda a aula.

No dia do último exame a classe cantou o Hino Nacional.

Ouviram do Ipiranga as margens plááácidas...

E ela, como tinha sido aprovada, berrou, com toda a força de seus pulmões:

De um povo heroico o brado retumbante!

Sim, ela cantava retumbantemente. Papai e mamãe ficariam orgulhosos de seu exame: o ano não fora perdido. "Minha filha está se instruindo", dizia sempre o papai para os amigos e conhecidos.

E o sol da liberdade em raios fúúúlgidos!

As meninas gritavam. O hino saía desafinado mas era por causa do contentamento geral. O sol da liberdade! O sol lá da estância, na liberdade do campo! Em raios fúlgidos? Talvez. Ela não sabe o que quer dizer *fúlgidos*. Mas o sol lá do pago deve ter raios fúlgidos, porque *fúlgido* decerto quer dizer alguma coisa bonita.

Brilhou no céu da pátria nesse instante!

Os olhos da professora brilhavam de contentamento. Ela estava perfilada como um soldado e abria muito a boca para cantar.

Quando chegaram no *Ó pátria amada, idolatrada, salve, salve!*, a professora se adiantou demais, e sua voz esganiçada se elevou sobre as outras. O inspetor enviesou os olhos para ela e sorriu amarelo.

Como Clarissa se lembra de tudo, como lhe ficaram nítidos na memória todos os pormenores daquele último dia de exame! Quando terminaram de cantar o Hino Nacional, o inspetor ficou entusiasmado com o "ardor patriótico" das alunas e pediu-lhes que cantassem o Hino da República. Houve um zum-zum de descontentamento na sala: as meninas estavam doidas para sair, para correr para casa. Mas a professora bateu com a régua na mesa e exigiu silêncio.

— Cantemos o Hino da República!

E, batendo palmas, puxou:

Seja um pálio...

A classe acompanhou:

de luz desdobrado,
Sobre a larga amplidão destes céus,
Este canto revel que o passado
Vem remir dos mais torpes labéus...

Clarissa cantara o hino durante todo o ano. Mas não entendia patavina da letra: cantava como um papagaio. Achava que aquilo tudo devia ser muito bonito, muito verdadeiro... mas não compreendia nada...

No estribilho a professora, ao cantar: *Liberdade!* — esticava o pescoço, levantava a cabeça para o alto e fazia uma cara de quem estava gritando: "Socorro! Socorro!".

Ao recordar todas essas coisas, Clarissa sorri.

Agora já começam os ruídos na casa. Tia Zina enfia a cabeça na porta do quarto:

— Já aprontou a mala, minha filha?

— Inda não, titia!

— Que coisa horrorosa! Eu bem te disse que arrumasses ontem. Olha que o trem não espera...

Tia Zina sempre repreendendo, sempre fiscalizando. Nem no dia da despedida ela perdoa.

Clarissa despede-se.

Vai ao quintal. Nos pessegueiros já há frutos maduros. As galinhas bicam sossegadamente o chão moreno, onde as suas sombras se desenham, pronunciadas.

Clarissa olha em torno... Tudo isto ela viu todos os dias, durante quase um ano inteiro. Habituou-se a estes aspectos. Aqui debaixo destes pessegueiros pelas manhãs ela andava a correr, enquanto não chegava a hora do colégio. Do outro lado do muro Tonico passava toda a tarde, no inverno e no princípio da primavera, a tomar sol. Todas as manhãs lá no alto passava um avião. De tarde também outro avião aparecia, voando baixo, roncando forte, assustando as pombas que estavam pousadas nos telhados.

No alpendre, diante do poleiro do papagaio, Clarissa se detém. O Mandarim ginga, dum lado para outro, mergulha o bico na plumagem verde. Os seus olhinhos foscos são duas contas minúsculas, imóveis.

Clarissa pensa:

Adeus, Mandarim. Eu não vou me esquecer de você.

O papagaio sacode as penas. Clarissa sente um calor que lhe sobe no peito. Suas faces se afogueiam.

Vontade de chorar. Respiração difícil.

Desce ao jardim. As papoulas parecem mais vermelhas ao sol. Ali sobre aquele canteiro de relva brincaram os guris do outro jardim. Mas não voltaram mais... Não tinham licença. Quando queriam vir, aquela criada magra e tesa, de cara carrancuda, surgia para atrapalhar tudo... Às vezes, de tardezinha, lá do outro lado, Ana Maria estendia os braços e mexia com os dedos minúsculos num convite e gritava:

— Clarissa, vem brincá com a gente!

E ela, triste, fazia que não com a cabeça. Não podia ir. O jardim da casa contígua era como o jardim do gigante da história: os estranhos não podiam entrar...

E bem ali, na janela que abre sobre esse jardim encantado, o Príncipe Sapo vinha se debruçar todas as tardes. A fumaça do seu cigarro subia para o céu, envolvia-lhe o rosto e se diluía no ar... Mas ele nem sequer uma vez olhou para ela. Nunca. Clarissa vestia sempre os seus vestidos mais bonitos, e ficava esperando, sentada ali no banco, debaixo do plátano... Ele surgia à janela, fumava, olhava vagamente para todos os lados e depois desaparecia... Até que um dia a casa se fechou misteriosamente.

Sou infeliz — pensa Clarissa. — Ninguém gosta de mim. Não tenho amigos. Não tenho nada...

Derrama em torno um olhar longo de ternura. À janela da sala assoma a cabeça da tia.

— Venha pro café, Clarissa!

Tio Couto sorve o seu café em goles ruidosos e compridos.

— Zina, não te esqueças do guarda-pó!

Clarissa senta-se à mesa.

O major entra na sala. Belinha e a mãe também.

Conversas. Clarissa, absorta, mal ouve o que a seu redor se diz. Ela vai partir, deixar esta casa... Pirulito, no seu aquário luminoso. Estas mesas, com suas toalhas claras que o vento sacode. O relógio grande, cor de castanha, pêndulo dourado, que oscila de lá pra cá; o relógio ronceiro que marcava as horas de estudo; antigamente parecia que os ponteiros se arrastavam devagar; agora que está quase na hora da partida, esses mesmos ponteiros correm... Na parede, os quadros: o que representa uma cesta de frutas; o da ceia do Senhor: Cristo, de olhar meigo, mostra a mesa e parece que está dizendo: "Só temos isto, vejam". Os estores das janelas, de pano pardo, onde há um bordado feito à mão: uma menina tocando patos com uma varinha.

E tudo isto vai ficar. Todos estes objetos, toda esta gente...

O major e o tio Couto conversam animadamente.

— Olha, Couto, quem sabe se você arranja algum trabalho lá com o seu cunhado...

Tio Couto fica silencioso e sério por um instante. Depois:

— Homem! Você teve uma ideia luminosa. Vou tentar alguma coisa com o João de Deus. Homem, quem sabe?

Tia Zina, que vai passando com uma cesta de fiambres, para um instante e faz uma cara de pouco-caso:

— Duvido...

— Ora, Zina! Você está agourando! A esperança é a última coisa que morre.

Tio Couto gesticula e fala. Diz que ninguém pode duvidar da sua vontade de trabalhar. Trabalhou toda a vida. Mas que vai fazer agora que não lhe dão emprego? Outros ficam por aí a vida inteira vivendo parasitariamente à custa do próximo. Ele não é dessa classe. Ora, Zina! Ora! Ora!

— Não acha, major?

O major sorri.

— Titia, que bom se eu pudesse levar o Pirulito! — diz Clarissa.

D. Zina, cara franzida:

— Não inventa modas... Já chega a bagagem que vai. Não inventa... Pirulito fica aqui.

— E se o Micefufe come ele?

— Não come.

— Se ele morre de fome?

— Não morre. Eu me encarrego de dar comida...

Clarissa de súbito pensa em Amaro. As palavras dele lhe acodem à memória:

"Eu ia pela rua e dei com esse aquário numa vitrina. Não sei por quê, logo tive a ideia..."

Parece que Amaro está ali na sua frente, na mesa, olhos baixos, quieto, alheio a tudo. Agora ele ficará também, com o seu mistério e com as suas musiquinhas.

— Então, minha pequena, está triste porque vai nos deixar?

Ao perguntar isso, o major sorri. Clarissa sacode a cabeça afirmativamente.

— Qual! Você vai e logo esquece — continua o velho. — É moça. A saudade é para os que ficam... e principalmente para os velhos, que não têm mais nada que esperar da vida.

Tio Couto lança um protesto:

— Ora, major, deixe disso, o senhor está ainda no cerne.

O major segue falando:

— Eu sei... Você, Clarissa, logo encontra um mocetão bonito lá pelos seus pagos. Vai daí começam de namoro, o rapaz ronda sua casa, chega à janela, e um belo dia entra. Depois vem o noivado e por fim o casamento: doces, champanha, peru e uma noivinha bonita.

Clarissa agora sorri. Desenha-se-lhe na mente este quadro:

Ela vestida de noiva, toda de branco, grinalda na cabeça, um ramalhete de lírios nos braços. É na matriz de Jacarecanga. O povo se apinha para ver "a filha do seu João de Deus, que vai casar". O vigário, o padre Fritz, vem muito vermelho e cheirando a vinho. Lá em cima, no coro, o professor Justino toca no órgão uma marcha nupcial. Chega o noivo. Todo de preto, de casaca, como os noivos que aparecem nas fitas de cinema. Vem se aproximando do altar. Agora, mais pertinho, Clarissa lhe vê as feições. É ele! O Príncipe Sapo.

"Senhores, vamos abrir estas janelas. O ambiente está irrespirável."

O órgão canta. O padre ergue a mão.

Mas a visão se some e Clarissa agora só enxerga na sua frente o aquário do Pirulito. E o peixinho colorido lhe evoca a imagem de um homem triste e silencioso.

Lá fora o auto buzina repetidamente.

— Ande, minha gente, está na hora!

Tia Zina, suada e vermelha, corre dum lado para outro, ajuda Belmira a levar a bagagem para o carro.

Olhos cheios de lágrimas, mal podendo balbuciar um adeus tremido, Clarissa se despede do major, de d. Glória, de Belinha, de Belmira. Todos os rostos lhe aparecem apagados e vagos como se estivessem dentro dum aquário de água turva.

No jardim, Clarissa abraça a tia. Um abraço longo, longo, apertado. D. Zina chora, baixinho.

— Deus te guie, minha filha. Seja muito feliz. Diga pra mamãe que estou esperando as mudinhas de flor que ela me prometeu. Não metas a cabeça na janela quando o trem estiver caminhando. Beijos pra todos lá em casa.

Clarissa, comovida, não consegue dizer uma palavra.

No automóvel o tio Couto despede-se da esposa: dá-lhe um abraço desajeitado e um beijo chocho.

— Adeus, mulher!

— Até a volta, meu velho. Cuida bem da menina!

O auto arranca. O tio Couto grita para o major:

— Estou com palpite que arranjo emprego! Palavra!

E tia Zina, lágrimas a escorrer-lhe pelo rosto, mão no ar num aceno de despedida:

— Clarissa — grita —, não metas a cabeça pra fora quando o trem estiver caminhando...

O auto rola. Tio Couto acende um cigarro.

Clarissa vai como num sonho... Que irá acontecer agora? Tudo mudou: ela já não é mais a menina de antes. Em casa terá um quarto separado, como moça que é. Os rapazes conhecidos da vila, os rapazes que o ano passado passavam por ela sem lhe dar atenção, agora vão ficar abismados quando a virem chegar assim, de sapatos de salto alto, crescida, quase mulher... Primo Vasco vai ficar admirado.

Tio Couto decerto leva na cabeça algum pensamento alegre, porque vai sorrindo em silêncio.

O auto entra noutra rua, onde o movimento é intenso. Os transeuntes passam pelas calçadas, atravessam o passeio, se comprimem, numa confusão. Grasnam buzinas. Trilam apitos. Agora o carro envereda por uma avenida larga e livre, onde pode correr desembaraçadamente.

Que será de mim? — pensa Clarissa. — Quando será que vou ter uma pessoa amiga, muito minha amiga, para quem eu possa contar tudo o que sinto, tudo o que penso, todos os segredos? Quando? Quando?

Olha em torno. Silêncio. As vidraças fuzilam ao sol. As nuvens se desfazem no céu.

Quando? Quando? Quando?

Mas ninguém lhe responde. Silêncio ainda: e dentro do silêncio o ruído mole e abafado dos pneumáticos rolando no chão cimentado.

Casas, árvores, veículos, transeuntes, postes — tudo passa. Clarissa lembra-se duma fita que viu certa vez: uma locomotiva correndo a toda a velocidade: os trilhos luziam, a paisagem girava, dando tonturas na gente.

O auto roda, roda... O vento fustiga o rosto de Clarissa, agita-lhe os cabelos. Adeus! Adeus!

Tio Couto sorri ainda. No espelhinho que há em cima do para-brisa, aparecem os olhos escuros do chofer.

Assim corria a carruagem do Príncipe Sapo, puxada pelos cavalos brancos que vieram da Lua, pelos cavalos negros que nasceram da noite... Adeus!

Clarissa imagina-se a noiva do Príncipe Sapo. Ela o sente a seu lado, muito claro, muito louro. Ouve-lhe até a voz macia, macia... Adeus!

"Princesa querida, dize-me, para onde queres ir?"

Clarissa fecha os olhos, inebriada:

"Príncipe, me leve para a vida, eu quero conhecer a vida, príncipe, quero conhecer todos os mistérios das pessoas e das coisas..."

O auto dá um solavanco. Clarissa desperta: a imagem bonita foge.

A seu lado o tio Couto pita em silêncio.

Adeus! Adeus!

31

Quando Amaro entra na varanda, o silêncio o envolve.

Ar parado. Imobilidade completa.

Na sombra do corredor fuzilam por um instante os olhos vítreos de Micefufe: a silhueta indecisa do gato se recorta durante alguns segundos contra o fundo escuro e depois mergulha de novo na sombra.

No aquário quieto o peixinho colorido dorme.

Amaro olha em torno. Ninguém.

Mas ele vai sentindo aos poucos uma presença invisível. Ali junto do aquário uma menina morena sorri, olhos muito arregalados movendo os lábios de mansinho. Sua voz é um sussurro: parece que tem medo de magoar o silêncio.

"Muito obrigada pelo peixinho..."

A visão acorda em Amaro um desejo inopinado e estranho. Cauteloso como um ladrão, ele se aproxima do quarto de Clarissa.

A porta está entreaberta. Lá dentro da penumbra suave brilha a cama esmaltada de branco onde o travesseiro guarda ainda a forma duma cabeça. Na parede reluz a imagem de santa Teresinha. O espelho, com seu reflexo branco e frio, parece um fantasma à espreita... No meio do quarto, outra vez o vulto indeciso.

"Muito obrigada pelo peixinho..."

A escada range.

Amaro sente um sobressalto. Ergue os olhos: ninguém. Olha em torno: ninguém.

Outra vez o silêncio.

Amaro enxuga com o lenço o suor que lhe roreja a testa.

Sede.

Em cima do mármore da cristaleira está a moringa d'água. Amaro se aproxima do móvel, tira a tampa da moringa e despeja água num copo. Bebe. E no fundo do copo outra vez aparece o rostinho contente:

"Muito obrigada pelo peixinho..."

Amaro depõe o copo em cima do mármore. E os seus olhos agora fitam o espelho da cristaleira que reflete a cara dum homem triste. Dois olhos cinzentos, parados, mortos. Lábios sem cor, finos, miúdos, quase invisíveis no rosto de cera onde a barba principia a azular. E por causa dessa cabeleira abundante e descuidada, um dia, o contador do banco, zangado diante dum erro de balancete, chamou-lhe com desprezo:

"Poeta!"

Poeta, sim. Antes não fosse. Preferia ser opaco, espesso e insensível à beleza e ao sonho. Preferia ter a obesidade feliz e risonha do Barata: passar a vida rindo um riso cheio de otimismo e de dentes de ouro, contando anedotas para se divertir e divertir os outros... Palhaço!

"E o paiaço que é?"

"Ladrão de muié!"

Montado no burro peludo, o palhaço sorri, convencido da sua glória, senhor de toda a vila onde o circo armou o barracão.

"Poeta..."

Era melhor que fosse *clown*. Era melhor não ter esta imaginação incômoda que faz que ele — Amaro — veja, enxergue com nitidez assustadora ali no espelho, ao lado de seu rosto sem brilho, o rosto vivo e fresco duma menina que murmura:

"Muito obrigada pelo peixinho."

Amaro se volta, brusco, para fugir à visão.

Ainda bem que ninguém sabe... — reflete.

Caminha para a escada, na ponta dos pés.

A quietude continua.

Mas de repente uma voz estrídula arranha a face do silêncio:

— Clarissa!

Já no segundo degrau, Amaro estaca, como que ferido de morte. Volta a cabeça, vermelho e perturbado, e com a dolorosa impressão de que lhe descobriram o grande segredo.

No poleiro de alumínio, o papagaio sacode a plumagem verde.

Crônica sobre Porto Alegre

Clarissa e o mundo de Porto Alegre

A Porto Alegre de Clarissa adolescente ficava num mundo gaúcho e brasileiro em que a noção de adolescência não correspondia à de hoje, embora a palavra seja muito antiga na nossa língua. Clarissa estava em transição, é certo. Já era "mocinha". Havia na época uma coleção de livros para meninas da idade dela, a Coleção Menina e Moça, que fazia muito sucesso. O estado de menina e moça, porém, podia mudar muito rapidamente caso a jovem casasse, o que não era raro, lá pelos dezesseis anos, em geral com um "homem-feito".

Se isso não ocorresse, a partir dos quinze anos Clarissa começaria a se tornar uma moça, e a metamorfose se completaria lá pelos dezessete, dezoito anos, quando se iniciaria o processo de virar "moça-feita". Aos vinte e poucos seria definitivamente "moça-feita", tratada como "senhorita".

Com o sexo masculino, o equivalente da "mocinha" seria o "rapazote"; aos quinze anos o garoto virava "rapaz", aos dezoito, "moço", aos vinte, "moço-feito", dos 25 em diante seria "homem-feito". Entre os 35 e os quarenta anos seria preciso criar juízo e passar ao estado de "homem maduro".

Para ambos os sexos, na casa dos cinquenta entrava-se na velhice e dos sessenta em diante tudo era lucro.

Porto Alegre ainda era um burgo provinciano, de casario baixo, muitas casas de madeira, edifícios praticamente só no centro da cidade. Viver em um sobrado era sinal de prosperidade. A população, por 1930, não chegava a 200 mil habitantes; largos trechos de campo aberto separavam a cidade das suas vizinhas, como São Leopoldo, Gravataí e outras, que hoje se unem a ela numa única região metropolitana. Os bairros mais distantes do centro, como Assunção, Tristeza ou Belém Novo, tinham um ar quase rural, ou de balneário para veraneio, à beira do rio Guaíba.

Nas ruas da cidade viam-se, de manhã cedo, mesmo no centro, os leiteiros chegando com suas carroças para entregar o leite nas casas, com grandes tarros de metal e equipados com medidas de litro cuja honestidade as donas de casa sempre punham em questão.

Não havia ainda o conceito de "periferia", mas falava-se que Porto Alegre, como outras cidades do interior gaúcho e brasileiro, estava cercada por "coroas de miséria" crescentes, de presença chamativa, sobretudo a partir do começo dos anos 20, com a rudeza com que a crise econômica atingiu a região pastoril.

Já havia, na cidade, um casario pobre e mesmo miserável de proporções significativas. Mas não havia favelas em Porto Alegre. Por quê? Favela era coisa do Rio de Janeiro. As casas miseráveis recebiam o nome de "malocas", e seus habitantes eram chamados pejorativamente de "maloqueiros", palavra usada, por extensão, para designar sujeitos desalinhados, malvestidos, mal-educados, sujos etc. Ainda predominava a ideia preconceituosa de que se alguém fosse pobre, a culpa era unicamente da pessoa, que não sabia cuidar de si (ou, às vezes, do marido que não sabia cuidar da casa). Chamar alguém de "maloqueiro" era coisa muito séria e podia acabar em briga.

O principal meio de transporte coletivo era o bonde elétrico, que fazia a ligação entre o centro e os bairros. Carro era coisa de rico e um avião no céu atraía bandos de crianças, que "iam ver".

Coisa curiosa: segundo relatos familiares, se houvesse apenas moços e homens-feitos numa parada de bonde, o bonde diminuía a marcha, mas não parava de todo. O grupo de passageiros embarcava com o veículo em movimento. O hábito se manteve até que um senhor já de certa idade e meio gordo tropeçou e não conseguiu subir no bonde. Teve sorte: não foi atropelado, mas, arrastado por alguns metros, rasgou as calças. Furioso, foi até a sede da Carris (a Companhia dos bondes), seguido por uma pequena e buliçosa multidão. Invadiu o escritório do diretor, tirou a calça rasgada, jogou-a sobre a mesa do funcionário atônito e exigiu que lhe dessem outra nova. Não se sabe se conseguiu, mas desse dia em diante os bondes começaram a parar completamente em todas as paradas, fosse qual fosse o público...

As pessoas de classe média — professores, funcionários públicos, comerciários etc. — levavam uma vida cheia de dificuldades, que, para os nossos dias do começo do século XXI, poderia ser considerada rústica. Quase tudo o que era mais sofisticado e que se usava no dia a dia ou em festas e domingos vinha do estrangeiro e era caro. Em compensação, esses artigos "duravam a vida inteira".

Uma diversão muito em voga era ir passear no centro da cidade, em particular na rua da Praia. Os moços ficavam parados, encostados na parede ou em pé junto ao meio-fio, e as moças e senhoras passavam no meio da calçada, entre eles. Quando não havia tráfego, os moços tomavam o meio da rua, conversando animadamente, mas sempre de olho nas passantes que seguiam pelas calçadas. Já os homens-feitos e os maduros ficavam nos cafés a tomar chope no verão e vinhos e aperitivos no outono e no inverno.

Estes — os invernos — eram mais longos e mais frios, e com frequência o vento sul ou o sudoeste — o famoso Minuano — amargava a vida dos mais pobres e remediados enquanto realçava a elegância dos mais ricos, com seus sobretudos, luvas, mantas de pescoço e chapéus. Vestia-se o capote no fim de abril e ele só voltava para o armário lá por meados de setembro.

A rua da Praia, no centro da cidade, chamava-se assim porque nela, antigamente, havia de fato uma praia. Seu nome oficial era e é rua dos Andradas, mas naquele tempo a maioria da população usava os nomes antigos, consagrados pela tradição popular: rua da Ponte, rua da Igreja, rua Formosa, beco dos Marinheiros, caminho do Meio, beco Ajuda-me a Viver, rua do Curral das Éguas, rua do Arvoredo, da Varzinha, rua dos Pecados Mortais...

O centro da cidade e os bairros elegantes (como as laterais da avenida Independência) consolidavam seu processo de modernização. No centro, uma das grandes novidades foi a aposentadoria dos lampiões de gás, definitivamente substituídos por lâmpadas elétricas graças à inauguração de uma nova usina na Ponta do Gasômetro (ali ficava a usina de gás recém-desativada), cuja chaminé (de 1937) é hoje um dos cartões-postais de Porto Alegre.

Quase todos os prédios públicos tinham passado por reformas ou sido renovados a partir de 1900. Concorreram para isso arquitetos — italianos, alemães e alguns brasileiros também — e preceitos positivistas, ordenando as fachadas e os elementos decorativos, bem como os monumentos, de acordo com linhas que procuravam casar o antigo e o moderno, a solidez e a sobriedade.

O centro da cidade era de fato o centro: para ali acorriam as manifestações políticas, a vida cultural, os ricos e os remediados para as compras, e os pobres e desempregados em busca de alguma coisa que contribuísse para evitar a penúria. E um dos pontos mais importantes da vida cultural da cidade, já moça-feita ou madura em alguns aspectos mas ainda menina-moça em outros, era a livraria do Globo, na rua da Praia, onde começava a trabalhar um moço talentoso, um certo Erico Verissimo...

Esse era o mundo que os olhos sonhadores de Clarissa contemplavam e que lhes servia de moldura.

Crônica biográfica

Quando seu romance mais famoso teve problemas com a censura, Gustave Flaubert foi interrogado por um juiz:

"Quem é Madame Bovary?", perguntou o magistrado.

"Madame Bovary sou eu", foi a resposta do escritor francês.

A identificação entre Erico Verissimo e sua personagem Clarissa não chega a tanto, mas há muito em comum entre os dois. Mais do que se poderia suspeitar.

Ambos vinham do interior para a capital. Ambos tinham presenciado um cenário de decadência no interior sulino. A família de Erico passava dificuldades, depois de ter vivido momentos de fartura, regados a champanhe e decorados com caviar, como conta o escritor em seu livro de memórias, *Solo de clarineta*. Ele guardou na lembrança a última imagem do pai, na estação de trem de Cruz Alta, como um homem pobre, abrigado do frio com um poncho maior do que ele e tendo na mão uma mala velha atada com barbante. Levava linguiça preparada em casa por não ter dinheiro para comer no vagão-restaurante.

Clarissa, a personagem, guardava na lembrança a grandeza de seus antepassados, representativos de uma classe cujo poderio agonizava. Paradoxalmente, eram os filhos diretos ou políticos dessa classe — os Vargas, os Oswaldo Aranha, os Flores da Cunha — que se adonavam do poder na Capital Federal e abriam um novo horizonte de industrialização e progresso para o país.

Para Clarissa, no entanto, menina e moça, restara o caminho mais prosaico e pequeno dos estudos em Porto Alegre para tornar-se professora e enfrentar os desafios da vida dura, parca e rústica dos pobres e remediados. No caso de Erico, também a necessidade — intelectual e de sobrevivência — o levara a sair da Cruz Alta interiorana e buscar o caminho da "cidade grande", a Porto Alegre das primeiras décadas do século XX.

Para Clarissa, Porto Alegre seria um mundo de revelações e descobertas, boas e más, que ela absorveria com seus olhos negros atentos para a vida. Para o jovem escritor Erico, Porto Alegre também seria um mundo de boas e más revelações, que ele, como sua personagem, absorveria avidamente.

Erico chegou a Porto Alegre no fim de 1930, noivo e com muito pouco dinheiro no bolso. Depois de alguns trabalhinhos sem importância, começou a trabalhar na *Revista do Globo*, na época já de ampla e prestigiada circulação. A revista pertencia à editora e livraria do mesmo nome. A Globo redesenhou o olhar e o mundo de Erico, assim como Clarissa redesenharia seu olhar e seu mundo durante a estada em Porto Alegre.

Para começar, a Globo revelou a Erico o mundo editorial, o quanto de dedicação, de improvisação, de "toque de caixa" ele exigia; também mostrou-lhe os segredos da tipografia. E, sobretudo, aproximou-o da intelectualidade porto-alegrense, tanto na livraria como nos cafés onde o jovem compartilhava a roda de chope, embora não bebesse, preocupado com uma suposta crise hepática permanente que depois se revelou uma infestação abdominal de amebas.

A enfermidade lhe mostrou que nem sempre é possível confiar em quem se diz amigo. Certo dia, magro e tiritando de febre, recebe em seu quarto de pensão dois conhecidos que nem sequer repararam em seu estado de saúde. Um deles retoca o penteado no espelho, perfuma-se com uma colônia de Erico, gaba-se de ter um encontro amoroso, dá-lhe as costas e se vai. O outro não lhe dá as costas, mas senta-se a seu lado e lê para ele poemas compridos e enfadonhos. Felizmente, pouco depois, um terceiro percebe o estado de Erico e se dispõe a ajudá-lo. Chama-se Marcos Iolovitch, e ali começa uma amizade para toda a vida.

Nesses anos que antecederam e acompanharam a escrita de *Clarissa* e sua publicação — lançada com uma corajosa tiragem de 7 mil exemplares —, Erico conheceu intelectuais como Augusto Meyer, Reynaldo Moura, Athos Damasceno, Theodomiro Tostes e o espanhol Fernando Corona (escultor, arquiteto e professor da Escola de Belas-Artes, um homem que lembrava Dom Quixote; há um traço dele no pintor Pepe García, personagem de *O Retrato*, da trilogia *O tempo e o vento*). Tornou-se também muito amigo de Vianna Moog.

Em 1931, casou-se com Mafalda Halfen von Volpe, com quem teve os filhos Clarissa e Luis Fernando. Casando-se, as obrigações aumentaram, e mais ainda quando, em 1932, ao mudar-se para uma casa, trouxe a mãe de Cruz Alta. Antes do casamento, Erico conhecera as pensões — como a que retrata em *Clarissa* — e as casas que alugavam quartos para inquilinos, muito comuns na década de 30, período atingido pela depressão econômica e por mudanças políticas radicais no cenário brasileiro. Erico escreveu *Clarissa*, como seus romances seguintes, nas tardes de sábado, pois durante a semana tinha que se dedicar, até mesmo à noite e de madrugada, aos trabalhos que garantiam os ganhos reduzidos que a editora lhe proporcionava.

Não se pode de fato dizer que entre Erico e Clarissa houvesse um espelhamento comparável ao que motivara a famosa tirada de Flaubert sobre Madame Bovary diante do juiz impertinente. Mas entre o moço escritor de Cruz Alta e a mocinha normalista de Jacarecanga há mais traços em comum do que se percebe à primeira vista.

Erico Verissimo nasceu em Cruz Alta (RS), em 1905, e faleceu em Porto Alegre, em 1975. Na juventude, foi bancário e sócio de uma farmácia. Em 1931 casou-se com Mafalda Halfen von Volpe, com quem teve os filhos Clarissa e Luis Fernando. Sua estreia literária foi na *Revista do Globo*, com o conto "Ladrões de gado". A partir de 1930, já radicado em Porto Alegre, tornou-se redator da revista. Depois, foi secretário do Departamento Editorial da Livraria do Globo e também conselheiro editorial, até o fim da vida.

A década de 30 marca a ascensão literária do escritor. Em 1932 ele publica o primeiro livro de contos, *Fantoches*, e em 1933 o primeiro romance, *Clarissa*, inaugurando um grupo de personagens que acompanharia boa parte de sua obra. Em 1938, tem seu primeiro grande sucesso: *Olhai os lírios do campo*. O livro marca o reconhecimento de Erico no país inteiro e em seguida internacionalmente, com a edição de seus romances em vários países: Estados Unidos, Inglaterra, França, Itália, Argentina, Espanha, México, Alemanha, Holanda, Noruega, Japão, Hungria, Indonésia, Polônia, Romênia, Rússia, Suécia, Tchecoslováquia e Finlândia. Erico escreve também livros infantis, como *Os três porquinhos pobres*, *O urso com música na barriga*, *As aventuras do avião vermelho* e *A vida do elefante Basílio*.

Em 1941 faz uma viagem de três meses aos Estados Unidos a convite do Departamento de Estado norte-americano. A estada resulta na obra *Gato preto em campo de neve*, primeira de uma série de livros de viagens. Em 1943, dá aulas na Universidade de Berkeley. Volta ao Brasil em 1945, no fim da Segunda Guerra Mundial e do Estado Novo. Em 1953 vai mais uma vez aos Estados Unidos, como diretor do Departamento de Assuntos Culturais da União Pan-Americana, secretaria da Organização dos Estados Americanos (OEA).

Em 1947 Erico Verissimo começa a escrever a trilogia *O tempo e o vento*, cuja publicação só termina em 1962. Recebe vários prêmios, como o Jabuti e o Pen Club. Em 1965 publica *O senhor embaixador*, ambientado num hipotético país do Caribe que lembra Cuba. Em 1967 é a vez de *O prisioneiro*, parábola sobre a intervenção dos Estados Unidos no Vietnã. Em plena ditadura, lança *Incidente em Antares* (1971), crítica ao regime militar. Em 1973 sai o primeiro volume de *Solo de clarineta*, seu livro de memórias. Morre em 1975, quando terminava o segundo volume, publicado postumamente.

Obras de Erico Verissimo

Fantoches [1932]
Clarissa [1933]
Música ao longe [1935]
Caminhos cruzados [1935]
Um lugar ao sol [1936]
Olhai os lírios do campo [1938]
Saga [1940]
Gato preto em campo de neve [narrativa de viagem, 1941]
O resto é silêncio [1943]
Breve história da literatura brasileira [ensaio, 1944]
A volta do gato preto [narrativa de viagem, 1946]
As mãos de meu filho [1948]
Noite [1954]
México [narrativa de viagem, 1957]
O senhor embaixador [1965]
O prisioneiro [1967]
Israel em abril [narrativa de viagem, 1969]
Um certo capitão Rodrigo [1970]
Incidente em Antares [1971]
Ana Terra [1971]
Um certo Henrique Bertaso [biografia, 1972]
Solo de clarineta [memórias, 2 volumes, 1973, 1976]

O TEMPO E O VENTO

Parte I: *O Continente* [2 volumes, 1949]
Parte II: *O Retrato* [2 volumes, 1951]
Parte III: *O arquipélago* [3 volumes, 1961-1962]

OBRA INFANTOJUVENIL

A vida de Joana d'Arc [1935]
Meu ABC [1936]
Rosa Maria no castelo encantado [1936]
Os três porquinhos pobres [1936]
As aventuras do avião vermelho [1936]
As aventuras de Tibicuera [1937]
O urso com música na barriga [1938]
Outra vez os três porquinhos [1939]
Aventuras no mundo da higiene [1939]
A vida do elefante Basílio [1939]
Viagem à aurora do mundo [1939]
Gente e bichos [1956]

Texto fixado pelo Acervo Literário de Erico Verissimo (PUC-RS) com base na edição princeps, *sob coordenação de Maria da Glória Bordini.*

Grafia atualizada segundo o Acordo Ortográfico da Língua Portuguesa de 1990, que entrou em vigor no Brasil em 2009.

CAPA E PROJETO GRÁFICO Raul Loureiro
FOTO DE CAPA Cristiano Mascaro
FOTO DE ERICO VERISSIMO Leonid Streliaev
SUPERVISÃO EDITORIAL E TEXTOS FINAIS Flávio Aguiar
ESTABELECIMENTO DO TEXTO Maria da Glória Bordini e Cristiana Bergamaschi
PREPARAÇÃO Márcia Copola
ASSISTÊNCIA EDITORIAL Genulino José dos Santos
REVISÃO Cecília Ramos e Carmen S. da Costa
ATUALIZAÇÃO ORTOGRÁFICA Página Viva

1ª edição, 1933
2ª edição, 1939 [8 reimpressões]
3ª edição, 1961 [39 reimpressões]
4ª edição, 2003
5ª edição, 2005 [8 reimpressões]

Dados Internacionais de Catalogação na Publicação (CIP)
(Câmara Brasileira do Livro, SP, Brasil)

Verissimo, Erico, 1905-1975.
Clarissa / Erico Verissimo ; ilustrações Paulo von Poser ; prefácio Rodrigo Petronio. — São Paulo : Companhia das Letras, 2005.

ISBN 978-85-359-0611-0

1. Romance brasileiro I. Poser, Paulo von. II. Petronio, Rodrigo. III. Título.

05-0085 CDD-869.93

Índice para catálogo sistemático:
1. Romances : Literatura brasileira 869.93

[2020]

EDITORA SCHWARCZ S.A.
Rua Bandeira Paulista, 702, cj. 32
04532-002 — São Paulo — SP
Telefone: (11) 3707-3500
www.companhiadasletras.com.br
www.blogdacompanhia.com.br
facebook.com/companhiadasletras
instagram.com/companhiadasletras
twitter.com/cialetras

Esta obra foi composta em Janson
por Osmane Garcia Filho e impressa
pela Lis Gráfica em ofsete
sobre papel Pólen Soft da Suzano
S.A. para a Editora Schwarcz
em fevereiro de 2020

A marca FSC® é a garantia de que a madeira utilizada na fabricação do papel deste livro provém de florestas que foram gerenciadas de maneira ambientalmente correta, socialmente justa e economicamente viável, além de outras fontes de origem controlada.